Rhagair

Colofn reolaidd yn Golwg dros y blynyddoedd diwethaf oedd 20-1, yn holi ugain o gwestiynau i berson adnabyddus. Pan ofynnwyd am farn am y Cynulliad byddai'r gwrthrych yn ateb yn ddi-ffael bod y Cynulliad yn beth da ond piti nad oedd ganddo fwy o bŵer. Dros amser mae'r Cynulliad wedi ennill mwy o bwerau ond pa lwybr amgen fyddai pobol Cymru am iddo'i droedio?
Dyma'r cwestiwn sy wrth wraidd y ddrama **Yfory**.

Mae San Steffan yn symud mlaen ar ras (i lawr llethr eithaf llithrig ddwedwn i, at ddat-gyplu Prydain wrth Ewrop a chynghreirio'n agosach gyda gwladweinwyr digon ansawrus fel Trump, Erdoğan a Netanyahu). Mae'r Alban a Gogledd Iwerddon hefyd yn brasgamu at hunaniaeth sy'n hanfodol wahanol i un Lloegr. Ond beth am y Senedd yn y Bae? Rhyw shyfflo araf a di-gyfeiriad gawn ni fan honno, gyda'r weinyddiaeth yn baglu mlaen heb weledigaeth heriol na diffiniol.

Ai diffyg pwerau yn unig sy'n gyfrifol am hyn? Ie, i raddau wrth gwrs. Ond mae diffyg cenhadaeth glir ar fai hefyd. Doedd dim hawl gyfansoddiadol gan lywodraeth Catalunya i gynnal refferendwm ar hunanreolaeth yn 2014, ond fe wnaethon nhw hynny beth bynnag a nawr mae Artur Mas yn wynebu cosb llys am herio grym canolog Madrid, ac mae Barcelona yn paratoi i herio'r drefn ymhellach trwy gynnal pleidlais arall eleni. Oes unrhyw wleidyddion yng Nghaerdydd yn meiddio meddwl am dorri cwys allai newid cyfeiriad cymdeithas yng Nghymru? Fyddai unrhyw gonsensws ymhlith ein pobol ynglŷn â thrio creu cymdeithas wahanol? Neu ydyn ni'n rhannu'r un meddylfryd adweithiol a'r un culni gorwelion â Lloegr bellach?

Mae **Yfory** yn ceisio darlunio senario lle gellid creu dyfodol mwy dychmygus yng Nghymru. "Never let a crisis go to waste" ddywedodd Rahm Emanuel, oedd yn bennaeth staff i Barack Obama yn ystod ei dymor arlywyddol cyntaf. Ond a fyddai newid cyfeiriad radical yn ddoeth neu hyd yn oed yn dderbyniol yng Nghymru bellach? Cymeriadau hollol ffuglennol yw Gwyn ac Ellie, a falle, oherwydd pragmatiaeth saff ein cyfundrefn wleidyddol yn y Bae, mai fel'na y byddan nhw'n aros hefyd.

Siôn Eirian 8/2/17

YFORY

GAN SIÔN EIRIAN

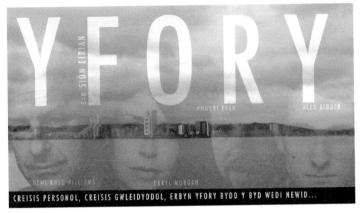

Gwyn:	Dewi Rhys Williams
Ellie:	Caryl Morgan
Trystan:	Aled Bidder
Kelfin:	Rhodri Evan
Kelly-Ann	*Carys Tudor*
Bob Carr	*Emyr Davies*
Cyfarwyddo:	Betsan Llwyd
Criw:	Tomos Ayers
	Berwyn Morris-Jones
	Emyr Morris-Jones
	Ceridwen Price
	Lois Prys
	Carwyn Rhys
	Gareth Wyn Roberts
Gweinyddu:	Linda Brown
	Carys Tudor

Dymuna Bara Caws diolch i:
Cyngor Celfyddydau Cymru, Cyngor Sir Gwynedd, Cyngor
Sir Ynys Môn, Cyngor Bwrdeistref Sirol Conwy, Cynghorau
Cymuned Gwynedd, Môn, Conwy ac ardaloedd eraill,
engie mitsui &co, Atebol.

4

Community Learning & Libraries
Cymuned Ddysgu a Llyfrgelloedd

This item should be returned or renewed by the
last date stamped below.

To renew visit:

www.newport.gov.uk/libraries

Hawlfraint y cyhoeddiad: © Atebol Cyfyngedig 2017
Adeiladau'r Fagwyr, Llanfihangel Genau'r Glyn, Aberystwyth,
Ceredigion SY24 5AQ
www.atebol.com

Dyluniwyd gan Ceri Jones
Argraffwyd gan Argraffwyr Cambria

ISBN 978-1910574362

Os am ganiatâd i berfformio'r ddrama hon, cysyllter â'r cwmni:
Theatr Bara Caws, Uned A1, Cibyn, Caernarfon, Gwynedd LL55 2BD
Ffôn 01286 676 335 / e-bost: linda@theatrbaracaws.com

Saif Gwyn – sy'n ei drôns a'i sanau – yn wynebu'r gynulleidfa...

GWYN   Wy'n gwbod bo ti'n diall. Pam ma' rhaid fi neud hyn...

Mae'n gafael mewn darn o bapur ac arno nodiadau. Mae'n edrych ar y papur, a'i wasgu'n belen.

GWYN   Gadwch i fi bwysleisio. Nid amdano i ma' hyn. Na'r Blaid. Ond y'n gwlad ni...

Mae Gwyn yn gafael mewn tei werdd, a'i dal yn erbyn crys gwyn. Ai dyma fydde orau iddo ei wisgo... neu ddim?

GWYN   Ma' dyfodol Cymru yn y'n dwylo ni.

Mae Gwyn yn edrych o'r tu ôl iddo, gan ddisgwyl i rywun arall ymuno ag e.

GWYN   Ti'n meddwl bo 'na'n rhy... Saundersaidd? *(Ennyd)* Rhy Saunders Lewis... Ellie?

Dim ateb.

GWYN   Ddim y tei. Y geirie. Fydde neb yn gwbod os taw teis gwyrdd ne' goch ne' pinc o'dd Saunders yn wishgo. O's unrhyw un byth wedi gweld llun lliw o'r hen gont bach diflas?

Saib. Mae Gwyn yn rhoi ei drowsus mlaen, ac yna'i siaced orau.

GWYN   Ellie... *(Dim ateb)* Dere i helpu fi nawr. Alla i ddim neud hyn ar 'y mhen y'n hunan. Plîs! *(Mae ei ffôn symudol yn canu)* Ie... Ble? Top Pier Street? Fydda i 'na nawr. *(Mae'n troi'n ôl a galw'n frysiog).* Ellie, paid neud dim nes bo' fi nôl. Wedyn gewn ni siarad, a trio sorto popeth ma's...

Aiff Gwyn allan ar hast.

Saib.

Daw Ellie i sefyll yn y drws mewnol tu ôl iddo. Mae hi'n cario cês teithio... Mae hi'n sefyll yno, yn silwét am ennyd... Golau lawr.

Cerddoriaeth: "Four Lonely Roads" – James Dean Bradfield a Cate le Bon.

Ar ddiwedd y gân daw'r golau nôl fyny ar y llwyfan.

Daw Gwyn fewn o'r tu allan, trwy ddrws ffrynt y fflat. Mae e' mewn siwt, ac yn cario bag teithio ysgafn.

GWYN   Ellie... Ti 'ma? Ellie..?

Ennyd, yna daw Ellie i'r llwyfan trwy'r drws mewnol, gan roi gŵn wisgo ymlaen.

Mae hi'n cofleidio Gwyn yn frwd a'i gusanu.

ELLIE   Cariad... Ti'n olreit?

GWYN   Wy'n ffycd. Wirioneddol ffycd... O! Blydi hel... Wy wedi colli ti!

ELLIE   O'n inne jest yn mynd am gawod. I dreio cadw ar ddihun.

GWYN   Yn aros lan i fi gyrra'dd?

ELLIE   *(Nodio)* Sdim sbel ers i fi gyrra'dd nôl o Ffynnon Las.

GWYN	Na? *(Ennyd)* Ti'n gallu gwynto pysgod ar y siwt 'ma? Herrings?
ELLIE	Na.
GWYN	Gwynt herrings a aftershef Eifion Price?

Mae Gwyn yn diosg ei siaced a'i drowsus wrth siarad.

GWYN	Cawod i finne 'fyd. Wy wedi colli ti siwd gymint. Gallu gofyn dy gyngor di... dala ti'n agos... caru 'da ti... jyst siarad â ti...
ELLIE	Siwd o'dd y gwesty?
GWYN	O'dd y stafell o'dd 'da fi yn, wel... ddim stafell... suite. Popeth 'na. Gwely anferth o seis, cawod o't ti'n gallu cerdded obutu yndi... Codi ffôn, ac o fewn muned o'dd unrhywbeth o't ti moyn... bwyd, gwin… papure newydd bob iaith... Fyddet ti wedi teimlo fel brenhines 'na... a fyddet ti a fi wedi ca'l amser... brwnt.
ELLIE	Gwyn. Paid agor y bleinds.Ti yn dy bants.
GWYN	Wy ishe gweld goleuade'r Bae. A un o USPs y llefydd 'ma - *not overlooked*. A wy ishe ti. *(Ennyd. Mae'n rhoi ei freichiau o'i chylch a rhedeg ei ddwylo lan a lawr ei chorff)* Allwn ni neud beth licwn ni. Heb ga'l y'n gweld.
ELLIE	Ffycin bihafia. Ddim o fla'n y ffenest. Ma' ishe ti feddwl am bore fory.
GWYN	Ffenest o'dd yr hen air Cymra'g am gont. Hanner awr Ellie. Cym on.
ELLIE	Paid!

GWYN	*(Yn dal i redeg ei ddwylo drosti)* Ti'n cwyno digon pan ti ishe, a fi ddim. Ddes i gatre heno, yn wyllt ishe caru 'da ti. A gweld ti 'ma, felna... Rhoi cwnad i fi mond edrych arnot ti.
ELLIE	Ges i neges. Ma' *Sunday Politics Wales* yn ffilmo ti, ar ôl i ti siarad â grŵp y Blaid.
GWYN	Odyn nhw?
ELLIE	Odyn.
GWYN	Siwd ti'n gwbod bo' nhw'n ffilmo fi?
ELLIE	Achos fi wedodd celen nhw. Karen sy'n cynhyrchu, a checodd hi 'da fi...
GWYN	O.
ELLIE	Nick Servini. Fyddi di'n olreit. Ond ma' <u>rhaid</u> ti baratoi. A bod yn hollol glir yn be' ti'n weud.
	Mae hi'n symud oddi wrtho.
ELLIE	Allwn ni ffwcio nos fory. Trw'r nos. Fydd y byd wedi newid erbyn 'nny gobitho.
GWYN	Addo?
ELLIE	Addo. Heno, ddylen ni ymarfer y cyfweliad 'ma.
GWYN	Wy jest wedi lando Ell. *(Mewn acen Caerdydd) I just got my feet back on terra cotta.* Rho hoe fach i fi.
ELLIE	O.K. Gwed wrtho i am Oslo... Sai'n gwbod fowr ddim -

GWYN	Halon ni fwy o amser ma's o Oslo. Ethon ni i felin llifo co'd. Ffatri prosesu pysgod. Rhan o bortffolio Luned wrth gwrs. A ma' 'da Eifion ryw ddamcanieth galle Norwy fod yn ddrws cefen i bart o'r Farchnad Sengl, a ffordd rownd y tariffs *rules of origin*. Ni'n allforio stwff crai – a pacejo a brando ar y cyd 'da ffyrms o Norwy. *Kacker fra Wales*. Cacenne o Gymru. *Welsh lammekoteletter*. Lamb chops Cymreig.
ELLIE	Dduw mowr... Fanna ma' achubieth y genedl yn y byd post-Brexit ife?
GWYN	Wel, na. O'dd syniade Eifion ddim yn realistig wy'n ofni...
ELLIE	Sdim ots 'da fi am ajenda Eifion. Na Luned. Beth amdanot ti?
GWYN	Ges i fynd i bentre bach, Moi, dwy fil o bobol. A'r unig ffatri neud clocsus yn Norwy. O leia o'n i'n gallu siarad 'da nhw am ddawnsio gwerin...
ELLIE	Sdim dianc i ga'l o's e.
GWYN	Pentre hen ffasiwn, pobol capel draddodiadol, wynebe gwyn i gyd... A ma' nhw wedi derbyn dros gant o ffoaduried o Syria. Ma' nhw'n cynnal dosbarthiade cymhathu. I'r ddwy ochor ddysgu am 'i gilydd. Ma' 'na'n esiampl ffantastic i ni yng Nghymru.
	Saib
GWYN	Ond gan fwya o'dd y meddwl i nôl fan hyn. Beth o'dd Llafur yn mynd i gynnig i ni ar ôl ffili ca'l 'u cyllideb trwyddo...
ELLIE	O'dd Llafur, wel, Kelvin George ar y radio yn honni bydde'r Blaid wedi pleidleisio yn erbyn be' bynnag o'dd y consesiyns.

Ar ôl i ti a Alun Connor gwmpo ma's mor ofnadw...

GWYN   O'dd Kelvin mwy o ishe ca'l gwared Connor nag o'n i. Whareuodd y Blaid yr union gêm o'dd Kelvin ishe ni neud. Helpon ni ddifetha Alun Connor... a gadel bwlch i Kelvin gamu miwn iddo fe.

ELLIE   Dowt 'da fi os gei di unrhyw ddiolch wrth Kelvin.

GWYN   O'dd e'n gwbod beth o'dd y maths. Unwaith o'dd Ryland Edwards wedi ca'l y trawiad, a wedyn diall bod Dafydd El yn mynd i atal 'i bleidlais, o'dd Llafur ddou yn brin a'n gorffod dibynnu arnon ni. Cyn i Alun Connor roi'r cyfweliad 'na, alle Kelvin fod wedi stopo fe. O leia 'i ga'l e' i bido sarhau'r Blaid. Ond adodd Kelvin iddo fe gario mla'n, a rhoi esgus perffeth i ni bleidleisio'n erbyn.

ELLIE   Win-win, i'r Blaid a Kelvin George.

GWYN   A Kelvin yn gallu plonco'i din ar orsedd y Prif Weinidog.

ELLIE   Ges ti'r holl ypdets ma's 'na?

GWYN   O'dd Eifion a fi fel dou laslanc yn byw ar y'n ffôns a'n tablets. Geson ni'r text, wrth Kelvin 'i hunan, yn gweud bod Connor wedi gorffod ymddiswyddo. Wedyn o'dd hi fel dilyn blog gêm ffwtbol. Beth fydde'r fallout i Lafur... beth fydden nhw'n gynnig i ga'l ni nôl ar 'u hochor nhw.

ELLIE   Weles i un cyfweliad 'dag e'. "We had no way of foreseeing this sequence of events..."

GWYN   Ho! O leia ma' hyn i gyd wedi profi taw nid tegan i Lafur yw'r Blaid.

ELLIE	Ond mae e' wedi dangos 'to taw ffycin gêm yw'r cwbwl. I chi gyd.
GWYN	Ti'm yn meddwl 'na?
ELLIE	Paid a nhemtio i Gwyn. Ti'n gwbod yn gwmws beth wy'n feddwl.
GWYN	Nest ti Sky plyso y newyddion Cymra'g gobitho...?
ELLIE	Do. A trio ffono ti pan holodd Karen am gyfweliad fory. Ffaeles i ga'l trwyddo...
GWYN	A! Prynhawn 'ma? O'n i yn Utoyah...
	Mae Ellie'n trio cofio arwyddocad yr enw...
GWYN	Yr ynys. Ble o'dd y gwersyll pobol ifanc 'na, ble...
ELLIE	Brevik?
GWYN	Anders Beiring Breivik... Ffindies i'n hunan yn llefen... a trio cwato'r peth...
ELLIE	Gwed wrtho i. Wy mo'yn clwed.
GWYN	*(Ennyd)* Weles i'r cynllunie ar gyfer cofeb. Ar y penrhyn sy'n wynebu'r ynys.
ELLIE	Yr holl bobol ifenc 'na...
GWYN	Ie. Ma'r cerflunydd ishe tynnu talp cyfan o'r penrhyn ma's. Fel bod bwlch clir yn y penrhyn o dir. Ti'n cyrra'dd yr hollt a edrych ma's trw ffenest yn y graig. Dros ddwylath o ddŵr. Ar y graig lefn yr ochor gyferbyn. A enwe'r saith deg saith o gids

ga's 'u lladd. 'Na gyd. Be' sy'n drawiadol yw'r bwlch yn y tir sy'n dangos colled a galar. Colli'r genhedleth nesa. Teitl y peth yw Clwyf y Cof.

ELLIE   Am beth o't ti'n feddwl? Trump, a Steve Bannon, a Jeff Sessions... a'r ffaith bod supremacists gwyn ag un llaw ar yr awenne yn America?

GWYN   Nage. Am y genhedleth sy'n tyfu lan fan hyn nawr.

ELLIE   Trystan?

GWYN   Ie. Trystan. Beth y'n ni'n baso mla'n iddo fe a'i genhedleth? Wy'n teimlo cwilydd withe. A wedyn meddwl am ble dyfest ti a fi lan. Be' ni ishws wedi golli. Ma' felse bwlch clir rhwng beth o'dd y'n bywyde ni a ble y'n ni nawr.

ELLIE   Ti a fi wedi bod yn meddwl am yr un pethe...

GWYN   Ma' ishe cynnig gobeth Ellie. 'Na beth sy' wedi 'i golli... gobeth yn y dyfodol, goddefgarwch... ble ma' ystyr y'n bywyde ni bellach...

ELLIE   Am hynny fydd y cyfweliad fory.

GWYN   O? Ti'n gweud wrtho i wyt ti?

ELLIE   Odw. Ti ddim yn mynd i wasto'r cyfle 'ma Gwyn. Wedes i wrth Karen byddet ti'n neud i bobol ishte lan a gryndo...

GWYN   Diolch am adel fi wbod.

ELLIE   Wy mor falch bod ti'n dala i allu llefen. (*Ennyd*) Er bo' rhai i ti fynd i Utoyah i neud 'nny.

GWYN	Oi! Dyw 'na ddim yn ffycin deg.
ELLIE	Nadi. Sori.
GWYN	A ble fydda i'n ffilmo fory? Ti wedi ca'l penderfynu 'nny hefyd?
ELLIE	Yn y Cynulliad. Wy wedi awgrymu bo' chi dan shimne ddi-fwg Richard Rogers. Fel rhyw bentan modern...
GWYN	A siwd wy'n mynd i ddachre?
ELLIE	Bo' ni yn y Cynulliad yn trio argyhoeddi'n hunen bo' pethe mowr yn ca'l 'u penderfynu fan hyn... Tra bod y gohebwyr yn crafu 'u penne i ffindio unrhyw ongl ddiddorol ar y pethe dibwys sy'n mynd â'n bryd ni. Wedyn symud mla'n i sôn am weledigeth newydd...

Ennyd.

GWYN	Ma' Eifion a fi wedi ca'l rhyw siâp ar areth fach cofia... i roi i aelode'r Blaid fory. Ma' rhaid i honno sefyll.
ELLIE	O'dd raid ti gael 'i inpwt e'?
GWYN	Mewnbwn yw 'i air e'.
ELLIE	Ie. I ffycin bet...
GWYN	Ma' Eifion yn foi gwych i ga'l wrth dy benelin.
ELLIE	Gwed ti. Atgoffa fi o ddymi fentrilocwist. Wyneb bach yn sheino fel clawr sosban, yr hen lais gwichlyd annifyr 'na, fel se'i geillie fe heb fod yn siŵr os y'n nhw'n hongian ne'n trio dringo nôl lan. A'r acen Sir Fôn erchyll 'na.

GWYN	Mae e' wedi bod 'na ers y dechre. Wedi 'i drwytho ym mholisie y Blaid...
ELLIE	Iawn i naddu pensils i ti. Mae e'n wleidydd. Dyw e' ddim yn weledydd.
GWYN	Ma' fe'n meddwl yn uchel iawn o ti.
ELLIE	Hy!
GWYN	Wir! Y ferch mwya galluog yn y Blaid. Allet ti gyflawni gyment, a ddyle ti fod yn y Cynulliad...
ELLIE	Cyflawni cymint a bod yn y Cynulliad? Nagyw 'na'n oxymoron? Beth wyt ti a Eifion wedi goblo at 'i gilydd 'te?
GWYN	Wel, rwbeth tebyg i beth wedest ti. Bod y Cynulliad bellach yn hollol amherthnasol i rhan fwya o etholwyr Cymru. Ni'n gweinyddu ond heb gynnig unrhyw weledigeth sy'n tanio.
ELLIE	Ma' 'na'n dda, odi...
GWYN	A bod ishe ni neud rhyw farc o wir bwys ar yr hen lechen laith 'ma o wlad. Ti'n lico 'na? Bo' ni wedi osgoi wynebu hanes ers agor y lle 'ma. Ond nawr ma' angen ail-ddiffinio blaenoriaethe.
ELLIE	A nawr bo' Llafur wedi colli'r bleidles gyllideb, ma' hanes wedi dod i whilo amdanoch chi. Ti wedi neud tymbach o feddwl, whare teg.
GWYN	Pan ti'n sefyll ar gantri mewn ffatri prosesu herrings ma' dy feddwl di yn falch o droi at rwbeth arall.
	Saib. Mae Gwyn yn rhoi ei freichiau o gylch Ellie.

GWYN	Er, o'n i'n meddwl mwy amdanot ti na' am bolisie'r Blaid… Ma'n bwysig i ti, i wbod 'nny… On'd yw hi?
ELLIE	Mae'n bwysig i fi bo' ti'n gweud y gwir. Obutu ti a fi.
GWYN	Ti'n gwbod bo' fi'n gweud y gwir, bo' fi'n caru ti…
ELLIE	Gwleidydd gonest? Oxymoron arall?
GWYN	*(Yn gwasgu yn ei herbyn)* Dyw coc dyn byth yn gweud celwydd.
ELLIE	Dyw coc ddim yn llunio areithie hanesyddol chwaith. Ishe clwed y gwir o'n i. Ddim ishe ffwc. *(Mae hi'n camu nôl oddi wrtho)* Dere mla'n nawr. Bore fory.
GWYN	O.K. Ni'n meddwl am y garreg filltir fowr ugen mlynedd nôl, pan bleidleisiodd Cymru dros ddatganoli. Ond wedyn ni wedi baglu mla'n, heb ystyried ble ma'r cwmpas yn pointo. Ddigwyddodd rwbeth anferth i economie'r gorllewin hanner ffordd ar hyd y daith, a nethon ni prin dorri'n cam. Dwy fil ac wyth. Dath yr olwynion off y cart. Ond nath Pryden ddim aros i newid cyfeiriad, felly nath Cymru ddim chwaith.

Saib.

| GWYN | Gas lot o ni'n geni adeg y consensws rhyddfrydol democratedd wedi'r Ail Ryfel Byd. Byd gwladwrieth les Beveridge a Attlee. Wedyn cyfalafieth agos-atoch-chi Macmillan a modernieth Wilson… ble o'dd popeth yn neud elw a pawb yn fwy-fwy cynhyrchiol a'n fwy-fwy materol… Ond eto, bryd 'ny, fydde cymdeithas o'dd yn fwriadol anghyfartal yn destun gofid mowr. Fydde cymdeithas fel sy 'da ni heddi yn wrthun i MacMillan, Harold Wilson, Ted Heath hyd no'd… Ond wedyn fe ddath chwyldro Thatcher a Regan a'r marchnado'dd arian. Elw o'dd yr unig linyn mesur. Nid elw i'r wlad ond i |

fuddsoddwyr a cyfranddalwyr. Yn sydyn o'dd anghyfartaledd yn bris teg i dalu. Yr ethos neo-liberal. Rhaid ca'l amode di-ened i gadw'r miliynne mewn gwaith, dim ots beth o'dd statws na urddas y gwaith. Cyn belled a bod y cwmnïe rhyngwladol yn gallu sugno elw o'r farchnad. Marchnad o'dd heb reoleth arni ers yr wythdege. *(Eiliad)* Odw i'n 'u colli nhw gwed? Gormod o bwdin?

ELLIE

Na na. Ti'n hoelio'r union bethe sy' angen. Ond ma' ishe ti fod yn onest ynglŷn â siwd ma'r Cynulliad wedi ffaelu.

GWYN

Wy'n bwriadu bod. Fe ddilynodd llywodreth Lafur Cymru rai came ar ôl San Steffan. Hyd 'nod pan ddath yr economi i stop, nethon ni ddim trio meddwl siwd galle Cymru greu dyfodol gwahanol... nethon ni fodloni ar ga'l gwedd mwy dyngarol i'n polisie ni fan hyn gan bod prescripsiwns am ddim yn helpu pobol glaf, a tâl ar fagie plastig yn helpu'r amgylchedd. Wel ffycin lol.

ELLIE

Ti ddim yn mynd i weud ffycin lol ar y *Sunday Politics*?

GWYN

Na. Wrth gwrs ddim. Lol. Hunan dwyll. O ddifri, faint o newid sy'n bosib? Pwy amode sy' yng Nhymru alle'n gneud ni'n wahanol i Loegr, a'i blaenoriaethe ariangar? A wedyn...

ELLIE

A wedyn?

GWYN

Rhestru'n amode ni cyn gallwn ni gyd-witho 'da Llafur eto. Dim cyfaddawdu. Mynnu bargen lot gwell cyn cefnogi unrhyw fesur cyllid newydd.

ELLIE

Rhester amode..?

GWYN

Ie. Ynglŷn â'r amgylchedd... Rhwydwaith cludiant gwell, yn enwedig yn y Gogledd a'r Gorllewin. Rhwydwaith ddigidol lot mwy effeithiol yn yr ardalo'dd gwledig... a 'ma ti rwbeth hollol newydd... dewis cwpwl o ardalo'dd ble fydden ni'n treialu universal basic income, fel ma' nhw'n mynd i neud yn Glasgow a Fife nawr...

ELLIE   Hynny yw, pwyllgor i archwilio'r posibilrwydd?

GWYN   Ie. Ti'n gweld, ma' pensil Eifion wedi bod yn fishi.

ELLIE   ... A 'na ni? *(Ennyd)* A pan fydd Llafur yn llyncu'r bilsen 'na, allwch chi gynnal 'u breichie nhw am weddill y Cynulliad 'ma.

GWYN   Ie. *(Ennyd ddisgwylgar)* Be' ti'n feddwl 'te?

ELLIE   Wel... am ffycin rwtsh llipa.

GWYN   E? Be' sy'n bod arnot ti Ellie?

ELLIE   Ddim jest ar ôl dwy fil ac wyth nath popeth newid. Ma' ail ffrwydrad cosmic wedi digwydd. Brexit! A'n syth ar ôl 'nny, Trump yn America. Chi'n dala heb syniad siwd i neud sens o'r peth!

GWYN   Cawl Cameron a Llunden o'dd y refferndym... Yn slow bach ma' rhaid ni riparo'r damej, hala arian mewn ffyrdd gwahanol walle, watsho pob cinog nawr...

ELLIE   *(Yn gweiddi)* Gwyn! Grynda ar dy hunan!

GWYN   Beth?

ELLIE   Ma' be ti'n weud yn bathetic.

GWYN   O, diolch. Grêt ar gyfer y'n hyder i, cyn wynebu'r cameras fory...

ELLIE	Ma' Brexit wedi profi nad yw pobol Cymru'n gryndo arnoch chi beth bynnag... Tra o'dd y Blaid a Llafur yn whare politics wrth greu Symud Cymru Mlaen, o'dd y bobol gyffredin yn gryndo ar y tabloids a Nigel Farage. Ti'n cofio pan o'n ni'n watsho dechre'r Euros ar y bocs llynedd, gymint o'dd hi'n 'nafu i weld baner Bonymaen ochr yn ochr a' un Millwall FC ma's yn Marseille, a clywed y chanto *"We are England and Wales... Fuck off Europe... We're Voting Out..."*

GWYN	Odw.

ELLIE	Wel ddath 'nny gyd yn wir. Be' nath gwleidyddion pob plaid ar ôl i'r bobol ma's fyn'na godi dou fys, a sathru ar ddyfodol gwâr...? Gweud bod "neges wedi ca'l 'i hala, bod angen dysgu", a wedyn nôl i whare politics plaid eto yn San Steffan a'n y Bae. Ffycin pathetic Gwyn!

GWYN	Hei, hei... Dere 'ma...

ELLIE	Dere 'ma i ddiawl. Ffyc off!

Mae Gwyn yn gafael ynddi. Ond mae Ellie yn llosgi dan emosiwn.

GWYN	Ti'n gwbod cystal â fi mor gymhleth ma' hyn. Bo' rhaid prosesu'r wers fwya anodd alla i gofio. Ond siwd ma neud 'nny...

ELLIE	Trw' stopo honni bod ateb i ga'l, a mai chi'r politicos yw'r Solomon. Ma' teip newydd o wleidyddieth ar gerdded fan hyn, a yn America, a gweddill Ewrop. Chi'n diall ffyc-ôl rhagor.

Mae Gwyn yn amyneddgar yn treio siarad â hi yn ofalus, yn berswadiol...

GWYN	Grynda... Ti'n gwbod faint o golli cwsg ma' Brexit a Trump

wedi achosi i ni gyd. Gweld bod gwertho'dd estron a celwydde wedi ennill y dydd. 'Na'r *knee-jerk* yntefe... Ond wedyn, gorffod cyfadde bod cyfiawnhad 'da'r mwyafrif dros herio atebion y rhai mwy cyfforddus, mwy addysgiedig. A ma' rhaid i ni'r gwleidyddion afel mewn ambell ysgallen... Ond wedyn, wy'n diall o ble ti'n dod ar hyn...

ELLIE   Nagwyt ti ffycin ddim!

GWYN   Odw! Rhaid derbyn gwers Brexit, – bo' ni'n byw mewn cymdeithas ranedig – ond heb roi miwn i'r rhagfarne gwitha. Ma' balansing act anodd o'n blaene ni. 'Na beth ti'n weud...

ELLIE   Nage! Pwy sy' â'r hawl foesol i benderfynu rhagor? Chi mewn cawl llwyr...

GWYN   Beth wyt ti'n feddwl 'te? Ma' hyn yn bwysig i fi Ellie...

ELLIE   Beth o ddifri o'dd y pum deg dou y cant fotodd i Adel yn weud 'tho chi? Beth o'dd yn 'u meddylie conffiwsd nhw... Gormod o wynebe brown ar y stryd? Pakis berchen bob siop gornel... Pam ni'n rhoi'n arian i Brysels, sy'n stopo terrorists rhag ca'l 'u deporto, a dewis pwy decyll ni'n ca'l iwso'n y gegin? A ma' miliynne o ffycin Tyrcs yn mynd i lando 'ma a suicide bombers wedi cwato yn 'u canol nhw.

GWYN   Ellie... ni'n gwbod am y celwydde...

ELLIE   O'n nhw ddim yn gelwydde i'r dynon lawr y pyb. Pob un yn gallu sôn am ryw Darran ne' Tracy yn 'u stryd sy' 'di ffili ca'l job ers gadel rysgol... heb gofio bo' Darran ne' Tracy yn ca'l gwaith codi o'r gwely a'n sloshed cyn diwedd y p'nawn... A pob problem sy' 'da Darran ne' Tracy yn fai y Poles ne'r Rwmeniyns sy'n dwgyd y jobs i gyd a ca'l 'u gwasgu fel sardins miwn i bob tŷ gwag. Ma' mwy yng Nghymru nawr yn credu 'na na sy'n credu dylen ni helpu'r bobol wan, a'r rhai sy'n ffoi rhyfel... sy' ffili gweld bod cydwitho a 'mestyn gorwelion yn rhinwedde rhagor... nath llywodreth Cameron, gyda Llafur yn cytuno, roi dyfodol Pryden a Cymru yn nwylo'r idiots cornel bar. 'Ma chi allweddi'r deyrnas bois... Whalwch yr aelwyd ma'n bishys... Go ahed... 'Ma chi!

Erbyn hyn mae Ellie dan deimlad dwys ac yn gweiddi. Mae e'n arllwys glasied mawr o win a'i gynnig iddi.

ELLIE   Na! *(yn dawelach)* Na...

Gafaela Gwyn ynddi'n dynn nes i'r emosiwn fwrw ei blwc. Mae e'n sychu ei dagrau yn dyner.

GWYN   Wy'n dy garu di...

ELLIE   Ni wastod wedi credu bod y byd yn dod yn well lle, o dipyn i beth. Bod pobol yn dod yn well pobol. Trw' addysg, a agwedde mwy goleuedig. Ond dy'n nhw ddim Gwyn! Ma' popeth yn mynd sha nôl! Ni'n rowlo at ymyl dipyn, a'r handbrec bant.

GWYN   Ti'n iawn. Wrth gwrs bo' ti'n iawn. Dyw'r atebion cywir ddim 'da ni.

ELLIE   A dyw rhester siopa newydd i ail-greu perthynas waith 'da Llafur ddim yn mynd i newid ffyc-ôl.

Saib. Mae Gwyn yn ddi-ateb.

ELLIE   Pan es i nôl i Ffynnon Las... i weld mam... fues inne'n llefen hefyd. Ymweld â hi yn y catre. Ma' hi wedi symud stafell, i un ble ma' hi'n gweld ma's dros yr ardd. O'n i'n ishte fynna, yn dala dwylo mam. Dwy wiwer ma's ar y gwair. A mainc wag.

'Sneb byth yn ishte arni, a'r estyll yn bwdwr gyda'r gwynt a'r glaw... byd gwag, yn dadfeilio, a gwynt catre hen bobol, gwynt lle i farw... a mam yn cyd-syllu ond yn gweld dim. Am wn i. Pan gerddes i miwn i'r stafell o'dd hi ffili cofio'n enw i.

GWYN   Wy'n gwbod. Ma'r peth yn greulon.

ELLIE   A nôl i'r tŷ gwag. Yr hen ffarm, Garth Hebog, yn sefyll yn llygad yr haul. 'Mond sŵn defed, a'r barcutod o gyfeiriad y co'd ar dir Gorwel Deg. Y lle'n wag, a di-fywyd, yn dishgwl i fi neud penderfyniad...

GWYN   Sa i'n gwbod pwy gyngor i roi. Alle gwerthu'r tŷ dalu am le dy fam yn y catre am weddill 'i hamser.

ELLIE   Pobol o tu fa's fydde'n prynu. Be' ddigwydde i Ffynnon Las 'se mwy o ni'n gwerthu? Ma'r iaith yn marw 'na Gwyn. Ma'r ysgol fach fod i gau blwyddyn nesa. Mond y garej a'r dafarn fydde ar ôl wedyn.

GWYN   Ie... wy'n gwbod.

ELLIE   O ie... Ffones i Morwenna ddo'. Ma' hi a Chris a'r plant yn symud o'u tŷ yn Cathays...

GWYN   I ble?

ELLIE   Pen-y-lan. Ma' rhai erill o'u cymdogion nhw wedi symud 'na yn barod...

GWYN   Pam? A walle bo' fi ddim rili ishe clwed yr ateb i hyn...

ELLIE   Ma' hanner y stryd ble o'dd hi nawr yn HMOs. *Houses of Multiple Occupancy* –

GWYN	Ie ie.

ELLIE	Stiwdents gan fwya... Ma' rybish mas dros y stryd trw'r amser, sŵn yn yr orie mân sy'n dihuno'r plant. A'r cownsil yn neud dim.

GWYN	O leia nid cwyno am yr Asied yn boddi'r lle ma' hi –

ELLIE	Wel, nhw yw'r landlords nawr. O'dd hi'n stryd grêt pan ddes i gynta i Gaerdydd. Pawb yn nabod pawb, o bob hil hefyd... Cymdogion go iawn. Pryd 'nny...

GWYN	Clwyf y cof... Ma' byd pawb yn newid Ellie... Ar ras hefyd. A alli di ddim beio ni yn y Bae am hynny.

ELLIE	Am beth allwn ni feio chi 'te? Ffyc ôl siŵr fod.

Saib.

ELLIE	Pan o'n i'n groten o'n i'n ca'l yr un hunlle dro ar ôl tro. Bod spotyn o ole yn symud ma's ohono i... o nghorff i, o meddwl i... i rywle tu fa's. A 'na'r unig lygedyn bach bregus o ole ynghanol tywyllwch dudew. O'dd y twyllwch yn 'y mrawychu i, a o'n i ofon na fydde'r gole yn dod nôl yn rhan ohono i. 'Na'r hunlle... Bod y gole bach yn mynd ymhellach a'n bellach. A bod y tywyllwch yn mynd i ennill...

Mae Gwyn yn mwytho'i gwallt fel petae hi'n ferch fach eto.

ELLIE	Alla i ddiall pam ma' lot o bobol yn pleidleisio fel ma' nhw... Heb neud nhw'n bobol wael. Gweld 'u hen gymdogaethe yn diflannu ma' nhw, jest fel Ffynnon Las, gyda'r holl siaradwyr Sysneg sy' wedi llifo miwn. Yr un peth yw e Gwyn.

Mae Gwyn yn edrych allan i'r tywyllwch.

GWYN	Wy'n cofio'r Bae 'ma pan o'n i'n tyfu lan. Ganol y saithdege. 'Na ti beth o'dd cymdeithas o bob lliw a llun. A lle hollol hapus.
ELLIE	A drwg...
GWYN	Drwg. Ie. Cerdded lawr o'n tŷ teidi ni yn Princes Street, trw' ganol y dre a lawr Bute Street. Stopo am beint yn y Custom House. Y merched ar y gêm yn sefyll wrth y bar ne'n ishte wrth y fordydd bach. 'U pimps nhw'n whare snwcyr yn ganol y bar. Y jiwcbocs mla'n yn ddi-stop. O'dd croeso i bawb... Fi'n grwtyn un ar bymtheg, a'n llyged i gyd. Mla'n wedyn i'r Ship and Pilot ne'r Bosun. Tafarne du. Y cwsmeried gan fwya o India'r Gorllewin, ne' Somalied ifenc. Ond brodorion Cardydd o'n nhw'i gyd.
ELLIE	Cymdogeth tweld. Sdim ots am liw na crefydd na iaith. Cyn belled a bo' bwrw gwreiddie...
GWYN	'Na beth o'dd y Bae i fi. Hen gymdogeth fwya ecsotig Cardydd. Y plufyn mwya lliwgar yn hat yr hen ddinas 'ma.
ELLIE	Ma' pob cymdogeth yn wahanol yn dyw hi. A ma' gwahanol bethe'n bygwth. Y Saeson dwad a'r diffyg Cymra'g sy'n bygwth lladd Ffynnon Las. Hynny a'r Cymry ifenc yn gadel.
	Saib
ELLIE	Nyge 'na beth yw dy neges di? Pob bro a'i phrobleme 'i hunan. Dyle pob bro ga'l dewis siwd i ddelio â 'nny. Tai a gwaith i bobol leol. A addysg a gofal o fewn y filltir sgwâr. Un egwyddor ond gwahanol ffyrdd o gyrra'dd y nod.
GWYN	Ie. Ti yn iawn. Wrth gwrs bo' ti. Ti a dy filltir sgwâr.

Mae Gwyn yn rhoi ei freichiau amdani.

ELLIE   Wy'n galaru am y pentre ble ges i'n magu. Galaru am mam, a'i bywyd yn cilo.

GWYN   Clwyf y Cof.

ELLIE   Finne, am y tro cynta erio'd 'di dechra teimlo'n hen.

Mae e'n gafael ynddi'n dyner.

Mae e'n ei chusanu.

GWYN   Wy byth yn mynd i flino arnot ti...

Mae e'n rhoi ei ddwylo ar ei bronnau. Mae hithau'n gwthio'i ddwylo ffwrdd.

ELLIE   Hei – paid nawr.

GWYN   Beth?

ELLIE   Tits y'n nhw for ffyc's sêc. So nhw'n ddiddorol Gwyn.

GWYN   Ma' nhw i fi.

ELLIE   Ddim pan ti'n tyfu lan yn gweld nhw bob dydd.

Ennyd.

ELLIE   Be' sy'n bod arnot ti? Ti felset t'n treio profi pwynt.

GWYN   O'dd rwbeth arall nath i fi fecso, ma's yn Norwy.

ELLIE   Bo' ti'n colli dy libido?

GWYN	Be' ddigwydde 'se fi'n colli ti.
ELLIE	Paid a dachre ar 'na…
GWYN	Paid mynd yn grac. Ond o'n i wir yn poeni...
ELLIE	Achos?
GWYN	Gas Eifion neges wrth un o'i fêts yn Abertawe. Wedi dy weld di, yn dod ma's o Morgan's, ben bore. Cyn brecwast. A'th pob siort o bethe trw mhen i...

Mae Ellie yn chwerthin.

GWYN	Paid gwatwar. Bo' ti wedi... ca'l noson wyllt… Be' 'se'r wasg wedi ca'l gafel...
ELLIE	Pwy ffycin wasg! Yn fan hyn?
GWYN	Rhyw lunie ar ffôn symudol 'da rhywun… A bod yn onest, ges i banic yn dychmygu be' 'se ti wedi mynd off 'da rhywun arall… Sa i'n gwbod. Brofodd e' i fi gymint o'n i ofon colli ti…
ELLIE	Nes i ddim byd i danseilio dy yrfa ddisglair di Gwyn.
GWYN	O'n i'n meddwl bo' ti yn Garth Hebog am gwpwl o nosweithi, a 'na gyd.
ELLIE	Yn ogystal â mynd i weld mam 'nes i'r *Memory Walk*. Cofio? Gyda dwy o dy gyd Aelode Cynulliad di.
GWYN	Yn y nos?
ELLIE	Na. Ar ôl y wac, a siarad 'da'r Evening Post a Radio Cymru, ethon ni am ddrinc. O'dd y tair ohonon ni gyda rhywun agos

'da Alzheimer's. Ges i sioc. Mor dda o'n ni'n cyd-dynnu. Fi, 'da AC Toriedd, a AC UKIP. Siarad nid dim ond am y'n teuluodd, ond am y Cynulliad, gyrfa gwragedd mewn gwleidyddieth, y'n milltir sgwâr. Yr un pethe o'dd yn poeni'r dair ohonon ni. Yn y bôn.

Saib

ELLIE   A am hyn wy wedi bod yn meddwl... 'Se ti a'r Blaid yn neud rwbeth hollol annisgwyl a radical, fel ditsho Llafur, a gorfodi pleidles drwyddo fydde'n rhoi pŵer nôl i'r cymdogeithe lleol... rhoi gymint o bwere a allech chi i'r cynghore... fydde'r Toried a hyd no'd UKIP yn y'ch cefnogi chi. Yn enwedig UKIP.

GWYN   Allen i byth neud dêl 'da ffycin UKIP. Ma' nhw'n destun gwawd. Fyddan nhw wedi dinistro'u hunen cyn yr Etholiad nesa ta p'un...

ELLIE   Ma'r opsiwn ar y ford i chi. Walle taw 'ma'r cyfle mowr ola. Gyda Llafur yn y stâd ma' hi. A maths y Cynulliad. Ar ôl tostrwydd Ryland. Llafur, gyda Kirsty, yn brin o fwyafrif 'to.

GWYN   Y maths. Wastod y maths.

ELLIE   Wy wedi bod yn aros i weud hyn wrthot ti. *(Gan godi darn o bapur ag arno nodiadau)* A rhoi mhensil y'n hunan ar waith. Esbonia wrth dy aelode bod opsiwn arall yn bosib. I newid siâp democratieth yng Nghymru. Rho gymint o bwere a alli di mewn parsel mowr... cynllunio, iaith, tai, grymuso cynghore ar bob lefel, a rho fe'n anrheg i'r ardalo'dd lleol. Rho lais i'r bobol.

GWYN   Beryglen i'n hygrededd. A' ngyrfa.

ELLIE   Wrth gwrs. Ond allet ti neud mwy o wahanieth mewn un mesur na ma'r ffycin Cynulliad 'na wedi neud mewn deunaw mlynedd gyfan o whare politics.

GWYN

Ti wedi sgripto nghyfweliad i fory? Ffycin haerllug yndwyt ti...

ELLIE

Un fel'na ydw i... Rwbath fel hyn fydden i'n weud...

GWYN

Ffycin hel Ellie...

ELLIE

All Cymru ddim ynysu 'i hunan wrth y tymhestlo'dd ariannol rhyngwladol – a ma' mwy i ddod, gyda camgymeriade yn ca'l 'u hail-adrodd, ond fe allwn ni greu rhywfaint o darian. Trw' weithredu mewn rhai cylcho'dd masnachol mwy cyfyng, fel bo' 'da ni lai o ddibynieth ar gwmnïe anferth rhyngwladol am nwydde a swyddi. Ma' rhanne o Ewrop yn neud hynny – y *slow economies* a'r rhwydweithie cymunedol mewn gwledydd gwahanol iawn, fel Portiwgal, yr Eidal, Norwy... Ond odi llywodreth Cymry yn fo'lon hyd no'd dachre deialog am ail gyfeirio cymdeithas ar y patryme hynny?

Mae'n troi at GWYN i gael ei ymateb.

ELLIE

'Na'r ffycin wers hanes Gwyn. Dyw Penyberth na ethol Gwynfor ddim yn bwysig rhagor... Y Crash a Brexit sy'n bwysig... 'Na'r hanes sy' wir wedi effeithio'n pobol ni. Nid matshus a paraffin ar ryw faes awyr, ne' stiwdents yn dathlu ar sgwâr Picton... Pam bod cyflwr bywyd pobol gyffredin Cymru wedi mynd yn fwy diffeth a poenus ers tair degawd a mwy? Pam bod y Cynulliad wedi 'i glwmi fel efell Seiamese wrth fehemoth tecnocratic y Blaid Lafur? Ni gyd yn gwbod am *hubris* Llafur. Tyrden bolishodd Tony Blair a sy' nawr ar orsedd ym Mae Cardydd.

GWYN

Alla i ddim gweud siwd bethe a 'na ar y *Sunday Politics*. Ti'n gwbod 'nny'n iawn.

ELLIE	'Na beth ddyle dy neges fowr di fod fory. Ti'n diall? Creu polisi cymunedol yn hytrach na cenedlaethol i Gymru. *(Fel pe bai'n annerch ei chynulleidfa anweledig)* Ma'r amser wedi mynd hibo ble allwn ni wofflo am genedl a Cymreictod. 'Mond y cymunede sy' 'da ni ar ôl i greu rwbeth gwahanol, rhwbeth unigryw i'r cornel 'ma o Bryden... Ond paid defnyddio "cymunede". Cymdogeithe. Cymdogeth sy'n diffinio pwy wyt ti a beth yw dy werth di. Gair pobol posh am 'nny yw cymuned.
GWYN	Symud mla'n o wleidyddieth cenedl, i wleidyddieth y gymdogeth? Wy ar dir peryglus 'da mhlaid y'n hunan fan hyn cofia.
ELLIE	Gwd. Fydd gofyn ti fanylu ar y wleidyddieth newydd i'r cymdogaethe. Sillafu'r peth ma's yn glir. *(Ennyd)* Datganoli pwere o'r canol. Pwere go iawn...
GWYN	Ie?
ELLIE	Ma' 'na ffyrdd o agor ffenestri democratieth nawr. Gyda'r we... Ca'l barn pobol, a pleidleisio, ar-lein. Ar y cyfandir ma' Podemos a Five Star yn neud 'nny'n barod. Ni'n gwitho trw' dechnoleg newydd, cymdeithasu trw' dechnoleg newydd. Pam na allwn ni wleidydda hefyd?... Gweda y byddi di a'r Blaid yn trafod y peth...
GWYN	*(Yn betrus)* Sai'n gwbod. Fydde 'na'n gallu agor bocs Pandora...
ELLIE	Meddyla. Fydde pobol ifenc yn cymryd rhan, pobol sy' wedi troi 'u cefne ar wleidyddieth. O's ishe Tesco newydd tu fa's y dre? Stâd o dai newydd ar gyrion y pentre? Dod â gweithwyr o dramor i helpu mewn ffatri leol? Be' ddyle ga'l blaenorieth os yw'r arian yn rhy brin i gynnal popeth?

GWYN	A be' ddigwydde? Pleidleisio i gadw swyddfeydd post a ysgolion bach ar agor… Grêt, ond ar draul beth?
ELLIE	Un ges i ti… Cwangos…? Cyrff ymgynghorol? Pet projects gwleidyddion y Bae? Gwasanaethe cyfieithu hyd no'd. Pwy ŵyr…
GWYN	Allet golli pethe –
ELLIE	Fydde hi lan i'r cymdogeithe lleol yn bydde hi. *(Ennyd)* Ti'n cofio pan ethon ni am brêc mish dwetha…
GWYN	Wrth gwrs… 'na'r tro dwetha i ti a fi ga'l rhyw. O'dd popeth am y gwylie bach 'na… yn berffeth.
ELLIE	O'dd e'n berffeth i fi hefyd. Hapus, hapus.
GWYN	Ti ishe fi weud am 'nny bore fory? Ti'n edrych ma's trw' ffenest yr hotel, ar yr eglw's 'na ochor draw'r gamlas…f inne'n sefyll yn deit tu ôl i ti, dy sgyrt di lan at dy ganol…
ELLIE	Ddim 'nny. Na. Ond ar y ffordd gatre, ble stopon ni?
GWYN	Pryd o fwyd, yn Damme, cyn mynd am Ostend.
ELLIE	Yn y caffe 'na o'dd yn bart o'r siop… Y siop gymunedol. Am hynny ma' ishe ti weud wrthyn nhw. Bod dros fil ohonyn nhw trw' Ffrainc a Belgium. Wedi ca'l help 'wrth y cynghore lleol. Gwerthu bwyd a cynnyrch lleol am brish rhesymol, gyda pobol leol yn rhedeg popeth. Cadw ffermwyr lleol a cynhyrchwyr lleol mewn busnes, cyflogi pobol leol, rhai ifenc gan fwya', a cadw prishe lawr fel bod pawb yn siopa a byta 'na, a gallu cyflenwi bwyd i ysgolion, a cartrefi heno'd a llefydd gwaith lleol.

GWYN	Yr hen ethos cydweithredol, gyda help arian y cynghore.
ELLIE	Mentre fel'ny, a holl hawlie cynllunio ar lefel leol, a ni'n dachre symud i'r cyfeiriad iawn. A ti'n gwbod y peth pwysica' gyflawne hynny?
GWYN	Beth?
ELLIE	Rhoi naratif nôl i fywyd pobol. Rôl iddyn nhw. Diffinio'u byd 'nw 'to. A neud nhw'n fwy o feistri ar 'u cyfraniad i bethe. 'Na un peth ddysges i 'wrth Brexit a Trump.
GWYN	Alle fe arwen at game gwag. At benderfyniade rong.
ELLIE	Wrth gwrs. A pam lai. Ond hefyd at sicrwydd gwaith, a tai i bobol ifenc yn 'u ardalo'dd gobitho. Ysgolion llai, a gwell. Fydde seilie newydd i bethe...
GWYN	Bydde...
ELLIE	Fydde fe'n gam nôl at fel o'dd y cymdogeithe... ond 'run pryd yn agor dyfodol gwahanol hefyd...
	Saib. Mae hi'n gafael ynddo eto. Yn dynn.
ELLIE	Ma' 'da ti'r tân yn dy gylla i neud i freuddwyd fel'na ddod yn ffaith. Gwyn? Plîs gwed wrtho i bod e.
GWYN	Wy'n trysto ti. A dy weledigeth. Wy wastod wedi...
ELLIE	Reit. Ma' rhaid i ti drafod hyn gyda dy gyd-aelode, a arweinwyr y pleidie erill... 'Wedodd Angela bydde'r Toried yn cefnogi, a 'wedodd Sally bydde UKIP 'fyd.
GWYN	Wy'n synnu dim. Fydde hynny'n rhoi mwy o bŵer iddyn nhw ar lefel leol...

ELLIE	A pam lai? Fydd chwyldro wedi 'i greu. Fory... mentra ddychmygu dyfodol gwahanol. Uno, jyst unwaith, gyda pwy bynnag sy' ar ga'l i greu naratif newydd. *(Ennyd)* Gwyn?

Mae hi'n ei gusanu, yn frwd...

ELLIE	Gewn ni fynd i'r gwely nawr. Am dymbach. Wedyn gei di bendefynu...
GWYN	Penderfynu?
ELLIE	Siwd ti'n mynd i newid yr areth 'na. Withwn ni ar y peth 'da'n gilydd.

Mae nhw'n cusanu, heb iddi hi ddal yn ôl tro hyn.

ELLIE	Beth nelet ti hebddo fi?
GWYN	Fydden i'n bell, bell o gatre. A unman i ddod nôl 'ddo fe.

Mae ELLIE'n chwerthin wrth iddyn nhw symud drwodd i'r stafell wely. Mae hi'n diffodd y golau wrth fynd.

LLAIS ELLIE	Hanner awr. A wy'n mynd i roi watsh arnon ni. 'Na'r fargen!

Cerddoriaeth: "Llwytha'r Gwn" – Candelas. Yn yr hanner tywyllwch mae rhywun yn dod mewn i'r stafell. Dyn ifanc, mewn siaced a hwd. Dyw ei gerddediad ddim yn sicr. Mae e'n gweld potel ar y bwrdd coffi ac yn drachtio ohoni... Mae'n baglu dros gadair yn swnllyd.

Mae ELLIE yn ei gŵn wisgo yn camu nôl i'r stafell ac yn rhoi'r golau mlaen...

ELLIE	Ffycin hel! Ti!

TRYSTAN	Ellie. Sori. Jesus... Ble ma' dad then?
	Daw GWYN i'r 'stafell.
TRYSTAN	Ti nôl?
GWYN	Odw, yn amlwg. O'n i 'di meddwl cysylltu cyn hedfan nôl. Ond o'dd cymint o –
ELLIE	Ma' 'dag e lot ar 'i blât Tryst.
TRYSTAN	Ie... A fi. *As it happens...*
GWYN	Ti'n gwbod faint o'r gloch yw hi?
TRYSTAN	Ie… Na. Faint? Dou? Tri?
ELLIE	Cwarter wedi. Tri.
TRYSTAN	Ie. Cŵl.
ELLIE	Wel ddim rili Tryst. Odi e.
TRYSTAN	Na. OK. Ond. Ym. Odi Claire 'ma?
GWYN	Na. Dyw Claire ddim 'ma. Pam ddyle hi fod?
TRYSTAN	O. Grêt.
ELLIE	Tryst... Gad y papure 'na fod.
TRYST	Sori. Sori.
ELLIE	Ti wedi meddwi.

TRYSTAN	*Actually.* Nadw. Fi ddim.
ELLIE	Papure dy dad y'n nhw. Ar gyfer fory. Ma' 'dag e' gyfweliad.
GWYN	A sda fi ddim amser i sorto ti ma's. Ddim y funud 'ma. Ti a Claire a'ch probleme.
TRYSTAN	Be' sy'n newydd dad. 'Os dim amser 'di bod 'da ti ers... *ages.*
GWYN	Wyt ti'n meddwl 'na?
TRYSTAN	Na. Sori. Fi ddim. Fi ddim yn meddwl e. Dechre 'to, ife?
ELLIE	O's rwbeth arall yn bod? Ar wahân i bo' ti ffaelu ffindio Claire?
TRYSTAN	Ym... *Actually...* *(Gan edrych arnynt)* O's diddordeb 'da chi? *Really?*
GWYN	Yn beth?
TRYSTAN	Wel... Ble i ddechre? Ma' loads chi ddim yn wbod…
ELLIE	Fydde'n help 'se ti'n siarad mwy â ni. Ti fel dyn diarth lot o'r amser.
TRYSTAN	Reit... reit. Wy wedi newid job. Tra o't ti yn Norway.
GWYN	Ti wedi gadel Cymru Werdd?
TRYSTAN	Na. Ond sai'n *digital media co-ordinator* rhagor. Wy'n swyddog ymgyrcho'dd. Gyda cyfrifoldeb arbennig am... wenyn.
GWYN	Gwenyn?
TRYSTAN	Gwenyn. Ie. Pidwch cymryd y piss plîs. Ma'... oblygiade...

amgylcheddol lleihad y boblogeth gwenyn yn achosi lot o… ym…

GWYN   Buzz?

TRYSTAN   Emosiwn. Ffycin emosiwn! Reit!

ELLIE   O ie? Waw…

TRYSTAN   A'n sumtom o beth sy'n digwydd i'r *eco-system*. Ma' fe'n major. *(Ennyd)* 'Na beth wy'n taclo. Ddim jyst cownto *traffic cones* Cymru a mynd 'da *delegations* busnes i dasto *roll-mop herrings*.

ELLIE   Ma' dy dad ar fin rhoi 'i yrfa ar y lein. Er mwyn trio creu dyfodol gwell i Gymru.

TRYSTAN   *Nice one! Yeay!*

Saib

TRYSTAN   *Go dad!*

GWYN   Wy'n mynd i ga'l siâp ar y'n areth Ellie…

ELLIE   Cer â'n nodiade i gyda ti 'te.

Mae hi yn rhoi'r nodiadau iddo. Aiff Gwyn o'r stafell. Mae Ellie yn troi at Trystan.

ELLIE   Beth o'dd y ddadl fowr 'na gest ti amser cino?

TRYSTAN   Ei?

ELLIE   Glywes i, tu fas y Bay Tree. 'Da'r ffycin hac creepy 'na…

TRYSTAN	Bob Carr? Gwerthu storis i'r Mirror ma' fe… Unrhyw gachu gall e'.
ELLIE	Wy'n gwbod 'ny. A…?
TRYSTAN	O… Ishe gossip ar Alun Connor. Feddwodd Connor yn *shit-faced* pan dda'th e' i *launch* y'n ymgyrch ni, Bee Aware. *Geddit?* Bee Aware… Wrth gyrra'dd y *launch* glwodd e' bod Llafur yn ditsho fe. A'th e' ar *mega-bender*…
ELLIE	Od. Papur Llafur yn whilo cachu ar Brif Weinidog Llafur yng Nghymru.
TRYSTAN	Ddim i'r Mirror *necessarily*. Mae e'n gwerthu i bapure erill hefyd. Stori yw stori.
LLAIS GWYN	*(Oddi ar y llwyfan)* El! Sai'n diall dy 'sgrifennu di fan hyn…
ELLIE	Paid agor potel arall. A wedyn ffindiwn ni ble ma' Claire.
	Mae Ellie'n mynd allan, a'r botel win sy' ar agor gyda hi.
TRYSTAN	OK. Fydda i fel… sant. Bad Santa… *Snow-shaker*!
	Mae Trystan yn tapio chydig o bowdwr gwyn allan ar wyneb y bwrdd coffi. Yn gyflym a chywir mae'n creu llinell gyda'i gerdyn credyd yna'n paratoi i sugno'r lein bowdwr fyny i'w ffroenau… Mae Ellie'n dychwelyd, ac yn syllu arno.
TRYSTAN	O…
	Mae hi yn olrhain y lein o bowdwr gyda'i bys.
ELLIE	Y bastard dwl! Fan hyn!

Mae Gwyn wedi ei dilyn nôl fewn.

GWYN   Be' sy'?

TRYSTAN   Dath Bad Santa a' eira miwn 'dag e'...

ELLIE   Sai'n credu'r peth. Yn y fflat 'ma. 'Se rhywun yn ffindio bo' ti wedi cymryd coke, tra bo' ni 'ma...

TRSTAN   Olreit. Wy'n mynd eniwei. Gan bo' Claire ddim 'ma.

ELLIE   Alle fod yn ddiwedd ar yrfa Gwyn. Ti'n hunanol, ti'n ffycin anghyfrifol...

TRYSTAN   Sori sori... Sori. Dylen i ddim. Wy'n idiot.

                    Cloch intercom yn canu.

ELLIE   Claire walle...

TRYSTAN   Sai'n credu. Dyw hi *definitely* ddim yn whilo fi.

ELLIE   Os yw'r boi 'na, Bob Carr...y n dala i dy chaso di...

                    Buzz arall

ELLIE   Ie?

LLAIS KELVIN   Hei, Ellie. Fi Kel.

ELLIE   Dere lan.

TRYSTAN   Wy ma's o 'ma.

ELLIE   Gwyn! Tryst –

TRYSTAN	Sa'i mewn stâd i fod yn cwmni y bastard 'na.

Aiff Trystan allan wrth i Kelvin ddod mewn. Ennyd rynllyd wrth iddynt basio'i gilydd…

GWYN	Dere miwn.
KELVIN	O'n i'n tarfu ar reunion teuluol ne' rwbeth?
GWYN	Ddim yn hollol.
KELVIN	O? *(Eiliad)* Odi e'n olreit?
GWYN	Odi. Wedi cloi 'i hunan ma's o'i fflat. Ishe allwedd sbâr.

Mae Kelvin yn edrych o'i gwmpas, ac yn edych ar Ellie, ac yn gwenu. Mae'n gafael mewn potel whisgi ac astudio'r label.

ELLIE	*(Gan hôl gwydyr iddo)* Helpa dy hunan Kelvin.
KELVIN	Wy wastad yn.
ELLIE	*(Yna'n edrych at Gwyn).* Cofia. Pen clir.

Aiff Ellie allan.

GWYN	Beth wyt ti'n neud 'ma. Yr amser hyn?
KELVIN	Achos bod hi'r amser hyn. A wy'n gwbod be' sy' fod i ddigwydd ben bore.
GWYN	Wyt ti.
KELVIN	Wy 'ma i arbed ti rhag dy hunan.

GWYN	Se'n i ddim yn dy nabod di cystal fydde'n i ddim yn credu gair wyt ti'n weud.
KELVIN	Se'n i ddim yn dy nabod di cystal fydden i ddim ishe dy arbed di.
GWYN	Kelvin George. Samariad. Swno'n lletwhith yn yr un gwynt ryswut.

Mae Kelvin yn chwerthin. Mae Gwyn yn ddi-wên.

KELVIN	Wy'n gwbod mwy na ti'n sylweddoli. Ma' tom-toms y jyngl yn cadw lot o sŵn rownd coridore'r Cynulliad ar y funud.
GWYN	Wy'n siwr bo' nhw. Ma'r pigmis mewn panic.
KELVIN	Ti a Eifion wedi bennu'r rhester newydd o amode, i alluogi Llafur i gario mla'n.
GWYN	Ma' hynny'n un opsiwn.
KELVIN	Sdim opsiwn arall 'da chi.

Dyw Gwyn ddim yn ateb. Sylla Kelvin arno yn anghrediniol.

KELVIN	Cytundeb 'da'r pleidie erill? Y Toried? UKIP? Iesu ffycin Grist boi. Fyddet ti off dy ben. 'Drycha ar hanes y rabl 'na. Alli di ddim trysto dim neb o'r diawled… Pobol yr ymylon, yn desperet am dast o bŵer.
GWYN	Sda ti ddim syniad o's e'. Sda ti'm ffycin syniad.
KELVIN	Un peth sy'n wa'th na ffŵl. Ffŵl aneffeithiol. Ma'r syniad yn bathetic Gwyn.

GWYN	Olreit. 'Na beth wyt t'n gredu.
KELVIN	Ma'r whisgi 'ma'n itha sbesial. O p'un o dy drafels dest ti a hwn nôl?
GWYN	Sai'n yfed whisgi.
KELVIN	'Na wast.
GWYN	Wy o gefndir ddigon cyffredin. Dyfes i lan ar Brains Light a gwin chep.
KELVIN	Finne 'fyd gwboi. Drafft Bass yn y Greyhound, Brains yn y Llanover. Mab i golier, ddim mab i athro. Ble o'dd patshus lleder ar benelinie siaced dy dad di o'dd twlle ym mhenelinie jympyrs 'y nhad i. 'Na pam wy'n dwli gallu hyfed whisgi da nawr. Gad fi geso. Trip i Holyrood? Rhodd wrth Nicola? Mewn bywyd gwahanol roien i un i honno. 'Se hi'n addo sgipo'r sgwrs post coital. A'r *selfies*.
GWYN	Ti 'ma i werthu rwbeth i fi. Ti ddim yn neud job da ohoni mor belled.
KELVIN	Wy'n cynnig rwbeth lot mwy na alle'r Toried ne' UKIP neud byth. Cynghrair hollol gadarn, alle bara tan y lecsiwn nesa. Chi a ni, pedwar deg un. Gweddill y riff-raff estron 'na, un deg naw. 'Na beth yw pŵer Gwyn. 'Na beth yw rhifyddeg.
GWYN	Y broblem fowr Kel yw bo' dim trafodeth yn mynd i ddigwydd rhynto ti a fi. Ddim rhwng y'n dou grŵp ni, a ddim fan hyn nawr.
KELVIN	Beth arall yw hyn 'te?
GWYN	Achos nid dim ond fi sy'n penderfynu beth yw'r cam nesa'.

KELVIN	Ond 'se ti am eiliad yn cysidro unrhyw opsiwn heblaw cyd-witho 'da ni, a sai'n credu bo' ti wrth gwrs, <u>ti</u> fydd yr un gele 'i ddinistrio 'da hynny. Ond wrth gwrs, ti'n gwbod 'nny yn barod. Droie pethe'n gas. O'n hochor ni, a wrth dy blaid dy hunan. Y Triban yn glwm wrth y Toried a UKIP, yn rhannu'r un gwely? Fydde cynnig rwbeth fel'ny yn wenwyn pur i lot o bobol y Blaid…
GWYN	Ma' Pryden i gyd yn glwm wrth ajenda UKIP nawr fel ma' hi. 'Na ble ma' Teresa May yn arwen ni, gyda'i Brexit di-gymrodedd. Ma' dy blaid di ffaelu cynnig ffordd arall, a wedi cefnogi Article Fifty. Sda Cymru ddim llais na barn wahanol, achos bo' ni wedi dilyn Lloeger. A ma'r Cynulliad mewn twll Kel. A pan ma'r twll yn mynd yn ddwfnach a'n ddwfnach tra ti'n sefyll yndo fe, withe ma' rhaid ffindio ffordd ddansherus o ddringo ma's.
KELVIN	Ma' twll arall, ynghanol y grŵp Llafur. Nawr bo' Alun Connor wedi sefyll lawr. Fydd pleidles i ddewis arweinydd yn y Cynulliad. Wy wedi casglu'r ffigure. Pwy ti'n feddwl fydd yn llanw'r twll 'na?
GWYN	Ti.
KELVIN	Nawrte. Nagyw hynny'n newid popeth? Wy'n sosialydd yn hen ystyr y gair. Ma' mlaenoriaethe i'n hollol sownd. Ti'n nabod fi'n well na ma' neb o aelode Llafur y lle 'ma. Ti'n gallu y nhrysto i i gadw at 'y ngair. Ni'n ffrindie Gwyn. Ni wastod wedi edrych ar ôl y'n gilydd. Odi 'na'n wir?
GWYN	Odi.
KELVIN	*Nature abhors a vacuum.* Fydd rhaid i'r grŵp Llafur ga'l arweinydd newydd yn 'i le cyn pleidlais newydd ar unrhyw gyllideb. Tra byddi di'n crafu ynghanol y briwsion 'da pobl

fach y pleidie erill, fyddwn ni yn cario'r dorth i'r ford. A os basith y gyllideb allwn ni gyflwyno mesure fydde'n llonni calonne'r Blaid.

GWYN   Neith aelode'r Blaid ddim pleidleisio dros unrhyw Gyllideb nes bod hi'n cynnwys y'n blaenorieithe ni. Ni wedi neud 'na'n hollol glir.

KELVIN   Fydd dim rhaid i chi. Fydda i'n arwen y Cynulliad. A gei di lais yn be' sy'n mynd i ddilyn. Ti a'r Blaid. Allwn ni gadw aelode'r ddou grŵp yn hapus, a neud Cymru'n well lle. Mae e'n *no-brainer*. 'Na pam nes i rester o bethe allen ni gynnig, heb broblem. A fydde'n ca'l 'u gweld fel buddugolieth i dy blaid di.

Saib. Nid yw Gwyn yn mynd i ateb.

KELVIN   Wy'n cofio cwrdd â dy dad di.

GWYN   Ie. Diwedd y'n tymor cynta ni.

KELVIN   Lifft nôl 'da chi i Gardydd, wedyn o'n i'n dala'r trên lan i Trefforest. Bag anferth o olch brwnt gyda fi…

GWYN   Cofio'r gwynt yn y car. Ar ôl 'nny hongianodd mam un o'r co'd Nadolig bach *air freshene*r wrth y drych yn y ffenest fla'n, a fuodd e 'na am gwpwl o flynyddo'dd.

KELVIN   Werth tymor o bants a sane. O'dd dy dad yn ddyn bonheddig. Lices i fe'n syth.

GWYN   Fynte tithe. Sy' llawn cystal. Tithe'n siarad yn ddi-stop ag e' trw'r holl siwrne gatre.

KELVIN   O't ti fel ffycin zombi… O'dd 'da ti hangofyr y cythrel ar ôl y crawl noson cynt.

GWYN	O'dd cymint ohonyn nhw, sai'n gallu cofio…
KELVIN	Basest ti ma's tu fas drws y Crystal Palace. Garies i ti'r holl ffordd lan y rhiw. Siŵr bo' ti'm yn cofio 'na chwaith. *(Ennyd)* O'dd e' wedi bod yn athro daearyddieth ers deunaw mlynedd. A newydd ga'l i neud yn ddirprwy brif.
GWYN	O'dd.
KELVIN	'Na ti amser hir i aros am dy haeddiant. Cofio meddwl 'ny. Walle bod e' wedi bod yn ormod o ddyn bonheddig.

Ennyd

KELVIN	Saith mlynedd ti 'di bod yn y Cynulliad.
GWYN	Ie.
KELVIN	Arweinydd grŵp y Blaid ers 'mond whech mis. Ti prin wedi ca'l amser i gyfarwyddo â pethe. *(Ennyd)* Ond cyn pen dim alli di fod yn ddirprwy Brif Weinidog.

Saib.

Ond 'na fe, walle bo ti'n gwbod 'ny. Y bydde hynny'n bart o'r fargen. Ti a fi fydde'r ddou hyski bla'n ar y tîm newydd.

Nid yw Gwyn yn lleisio ymateb.

KELVIN	A fydde rhai erill o'r Blaid yn y cabinet. Ti'n gweld Gwyn, nid jest trefniant ne' ddealltwrieth y'n ni'n gynnig. Ond clymblaid.
GWYN	Cymru'n Un. Mark Two.
KELVIN	Lot gwell 'na 'ny. Gyda gweledigeth go iawn. Wrth i ni adel

Ewrop, fydd arian yn brin y cythrel. Ma' ishe dwylo saff i neud yr iws gore ohono fe. Mond Llafur all wella byd y bobol mwya di-fraint yn y wlad 'ma. Ma' 'ny'n fwy gwir nag erio'd nawr.

Saib fer.

KELVIN   Siarada â dy bobol. Fydde meysydd amlwg ar gyfer rhai o'ch wynebe amylca' chi. Amgylchedd a Materion Gwledig... Cymunede a Plant. A gyda dipyn o ail-drefnu gofalus, Addysg hyd no'd. Allen ni i symud hi i rwle arall. Meddyla Gwyn. Faint allech chi gyflawni.

GWYN   Sa i'n naif Kel. O'n i'n gwbod bydde cynnig, o ryw fath.

KELVIN   Ond fel hyn? Gyda ti a fi yn rhannu'r iau. Swyddi cabinet y'ch chi 'u ishe, a ble gall Pleidwyr neud gwahanieth i ddyfodol pethe. 'Na pam ddes i lan 'ma nawr. Cyn i ti neud y camgymeriad mwya yn hanes y Cynulliad a camgymeriad alle racso dy blaid di. *(Ennyd)* Ti prin wedi ca'l dy dra'd o dan y ford fel arweinydd y Blaid – wy ddim moyn colli ti cyn i ni ga'l cyfle i gyd-witho. Ma'n bryd i ti a fi ddachre trin y glo mân.

GWYN   Wedes i. Dim trafod.

KELVIN   Ti a fi sy 'ma. Neb arall. Anghofia'r Bae. Anghofia stafello'dd cynadledda, ne' stiwdios teledu am funud. Ti'n gwbod ble odw i nawr?

GWYN   Ble Kel?

KELVIN   Nôl yn bar cefen y Cŵps. Ti'n un o rebels mowr y criw Cymra'g, un o ffigure mowr y Gymdeithas a UMCA. Fi'n foi bach o'r cymo'dd. O stryd teras yn Trefforest. Ond y ddou o ni'n ffindio taw'r un delfryde o'dd 'da ni. Fan 'na odw i nawr

Gwyn. Dere nôl ato i, a ewn ni ar daith newydd, yn dachre o fan'ny.

GWYN Hola di i ble ethon ni o fan 'ny. A pam. Siwd gyrhaeddon ni fan hyn?

KELVIN Achos bo' ni ishe neud gwahanieth. Dylanwadu dyfodol Cymru.

GWYN Ie, ond... Ond. Est ti'n glwm wrth beiriant o blaid. Lefiathan yw Llafur. Wedi tyfu'n anferth a swrth a neb yn cwestiynu beth yw 'i bwrpas e' bellach. Es i'n glwm gyda plaid fach o'dd yn trio edrych fel plaid fowr, yn treio neud 'i marc yn y pole piniwn a'r Siambr. Yn casglu briwsion yn 'i ffedog. Dy blaid di'n mynd trw'r mosiwns o lywodraethu heb y gallu i ysbrydoli na newid dim... 'y mhlaid i'n mynd trw'r mosiwns o fod yn ddewis amgen, ond heb fentro neud na gweud dim byd fydde'n shiglo'r byd bach cysurus lawr fan hyn.

KELVIN O't ti ddim yn bleidiol i Cymru'n Un?

GWYN O'n i ddim 'ma. Ddim yn bart o'r peth.

KELVIN Nid 'na beth ofynnes i.

GWYN O'n i ddim o blaid. Achos o'dd gwa'd Iraq ar y'ch dwylo chi gyd. Plaid Blair a Brown o'dd hi i fi, a do'ch chi wedi neud dim yn gyhoeddus, bryd 'ny, i olchi'r gwa'd 'ny o'ch ffedoge.

KELVIN Yn do't ti'n lwcus i bido bod 'ma 'te. A pido gorffod neud penderfyniad.

GWYN Fydden i ddim wedi cytuno. Byth. A gyflawnoch chi ffyc ôl nath newid Cymru. 'Mond ca'l llunie neis o Rhodri Morgan a Ieuan Wyn yn y papure. Wurzel Gummidge a Aunt Sally yn llongyfarch 'i gilydd a ishte lawr am ddishgled neis o de yn 'u byd bach di-amser.

KELVIN   Nôl yn y Cŵps, o't ti ddim yn sinic. Dwyt ti ddim nawr. Paid hela esgusodion i osgoi dy ddyletswydd.

GWYN   Ond nid 'na beth yw nyletswydd i Kel. Fi na'r blaid.

KELVIN   Ga'i lased arall? Gan bo' neb arall yn gwerthfawrogi fe.

Mae Gwyn yn amneidio y caiff helpu ei hun. Kelvin yn gwneud.

KELVIN   Weda i 'to. Ni, naw ar hugen. Chi, un-ar-ddeg. 'Da'n gilydd, deugen. Pawb arall, hyd no'd se Kirsty'n gadel ni, ugen. Ma' dyletswydd arnon ni i neud iws o bŵer fel'na.

GWYN   Ma' 'da fi alwad ffôn i neud.

KELVIN   Eifion Price? (*Nid yw Gwyn yn ymateb*) Fe yw dy ddyn lojistics di. Y fficsyr. Jest gwed tho fe – Deugen. Ugen.

Ennyd. Nid yw Gwyn yn ateb wrth iddo droi am y drws i weddill y fflat.

KELVIN   Onibai wrth gwrs...

GWYN   Onibai beth?

KELVIN   Bo' ti wedi addo mynd trw'r mosiwns bore fory. Rhoi cyfweliad i *Sunday Politics Wales*, ond gweud dim byd newydd. Gan wbod bod y cynnig o glymblaid yn mynd i ddod, ag y bydd dy aelode di yn hapus i dderbyn.

GWYN   Wy ddim wedi crybwyll yr opsiwn wrthyn nhw.

KELVIN	Ti'n gweud celwydd. Glwes i bo' ti a Eifion wedi trafod 'nny 'da Luned ma's yn Oslo. Walle bo' ti wedi trafod y peth yn fwy preifet 'da hi 'fyd. Ma' hi'n fflyrt y cythrel yn dyw hi. A ma' hi wedi bod ishe ca'l 'i llaw miwn i dy gopish di ers iddi lando'n y Siambr lecsiwn dwetha…
	Daw Ellie fewn. Mae hi'n gwisgo sgert a blows. Mae Gwyn yn gwgu ar Kelvin.
GWYN	Wy angen neud yr alwad ffôn 'na.
	Ellie yn nodio. Aiff Gwyn allan. Mae Kelvin yn arllwys mesur arall o whisgi.
KELVIN	Stwff arbennig. Ti'n..?
ELLIE	Pwy sy'n trio ca'l 'i phawenne miwn i bants 'y mhartner i 'te?
KELVIN	Sôn am pan o'dd e' a fi yn y Coleg.
ELLIE	Prifygol Oslo ethoch chi? Am Luned o't ti'n siarad ife?
KELVIN	Iesu. Ma' cluste fel bat pipistrelle gyda ti.
ELLIE	Sa i'n becso ffwc am Luned. Na unrhyw fenyw arall yn y cynulliad.
KELVIN	Itha reit. Rhyw bethe uffernol o drab y'n nhw i gyd jest. Pam bo' menwod mwya di-siâp a diflas gwleidyddieth Cymru i gyd yn diweddu lan yn y Siambr 'na?
	Mae Ellie yn syllu arno.
KELVIN	Sa'i o ddifri, paid becso.

ELLIE	Nagwyt ti?
KELVIN	Ddylet ti fod 'na Ellie. Ti'n ca'l dy wastraffu ar y tu fas.
ELLIE	Nagw i ddim. Wy tu fa's achos bo' fi moyn bod.
KELVIN	Gest ti'r dachre gore posib. Rhydychen yntefe? Ymchwilydd i'r Blaid, wedyn dod lawr fan hyn i redeg 'i swyddfa fe.
ELLIE	A ti'n meddwl dylen i fod wedi mynd am beth, sedd rester yn yr etholiad dwetha?
KELVIN	Heb amheueth. O'dd pawb yn dishgwl i ti neud t'weld. Garantîd o sêt yn y Gorllewin.
ELLIE	Benderfynes i bod bywyd personol 'da fi. Bo' pethe erill i neud yn y byd 'ma.
KELVIN	'Se ti'n Aelod miwn 'na fyddet ti'n un o high-fliers y Cynulliad. A 'se'r Blaid yn bodloni rhannu pŵer 'da ni...
ELLIE	A 'na beth ti'n gynnig i Gwyn hefyd? Y cyfle, unwaith mewn oes, i hedfan lan 'da'r eryrod Llafur.
KELVIN	Wrth gwrs. Ond nyge motifs personol sy' i hyn. Iddo fe na fi. 'Na beth sy ishe ar Gymru. Ma'r wlad 'ma angen llywodreth gryf fel byffyr rhag Llunden ac i helpu ni trw'r llanast ma' Brexit wedi 'i adel...
ELLIE	Walle bod angen byffyr ar Gymru rhag y Cynulliad.
KELVIN	Beth yffarn ti'n feddwl wrth 'na?
ELLIE	Chi wedi ca'l deunaw mlynedd. A ni'n dala yn y'n unfan, yn tindroi. Ar ôl rheoleth ddi-dor dy blaid di, gyda bach o help

'wrth y Rhyddfrydwyr a'r Blaid.

KELVIN Ac o dipyn i beth ni'n ennill mwy o bwere...

ELLIE Gwbod siwd i ennill pwere, ond dim amcan beth i neud â nhw wedyn. Ble byddwn ni mewn deg mlynedd arall? Ble ma'r gorwel i ti Kelvin?

KELVIN Ma' pethe pwysig i' neud.

ELLIE Yn do's e...

KELVIN Gweddnewid trafnidieth. Ffyrdd a rheilffyrdd. Y grid metro newydd i glwmu Ca'rdydd a'r Cymo'dd, dod â nerth newydd i economi'r ddou o' nhw. Ynni gwyrdd. Falle mewn deg mlynedd bydd Cymru'n cynhyrchu 'i holl egni trw' ddŵr a gwynt... Saith y cant o drydan Pryden, yn dod o'n projecte arfordirol ni! Gyda'r partner masnachol iawn alle Cymru hyd no'd werthu ynni.

ELLIE A fydd y pentre bach na'th y'n magu i wedi mynd, wedi troi'n blishgyn gwag. Heb ysgol fach, heb siop na post, heb gapel heb dafarn na garej. A nid 'mond cymdeithase bach y Gorllewin. Ond fan hyn, y cymdogaethe yn y ddinas ble dyfodd Gwyn lan. Y siop a'r pyb wedi mynd o gornel y stryd, y strydo'dd siopa nawr yn lefydd trist, di-ened yn llawn siope elusen a takeaways. A cymdogion ddim yn gymdogion rhagor, ddim yn nabod 'i gilydd... 'Na beth fydd gwaddol yr hunan-reoleth y'n ni'n 'i dathlu lawr fan hyn. A'r Cynulliad yw'r Seithennin, yn meddwi ar 'i bwysigrwydd 'i hunan tra bo'r gaer yn diflannu dan y tonne.

Mae Kelvin yn clapio'n araf, fel pe'n gwatwar yn hytrach na llongyfarch.

KELVIN	Da iawn Ellie. A 'na'r areth fydd Gwyn yn 'i thraddodi i'r cameras fory ife?
ELLIE	Walle wedith e rwbeth tebyg. Lan iddo fe.
	Daw Gwyn nôl fewn i'r stafell.
KELVIN	Wy 'di gadel hi'n rhy hwyr Gwyn. Ma' hon 'di bod wrthi'n breinwasho ti'n barod.
ELLIE	Ma' beth wy'n weud yn wir.
KELVIN	Dim fel'na ma' cymdeithas yn gwitho bellach.
ELLIE	Gad ni roi prawf ar 'ny 'te. Ma' rhaid i rywun drio. Newch chi byth.
KELVIN	*(Wrth Gwyn)* Ffonest ti Eifion?
GWYN	Ddim Eifion, na.
KELVIN	O?
GWYN	Ti gam ne ddou ar 'i hôl hi heno Kel bach.
KELVIN	O? *(Ennyd)*. Ah. Trystan.
GWYN	Pam fe?
KELVIN	O'dd e' 'ma gynne. Ma' rhyw bethe rhyfedd yn mynd mla'n 'dag e'.
ELLIE	O ie?
KELVIN	Dod ma's o'r Bay Tree yn feddw amser cino. Ar 'i ffôn symudol

yn ffyrnigo 'da rhywun. A wedyn troi miwn i'r Packet. Ganol
prynhawn.

ELLIE   O'dd y bastard newyddiadurwr 'na, Bob Carr, wedi trio'i
gorneli fe amser cino. Ma' hwnnw'n ffrind mowr i ti Kelvin.

KELVIN   Wy'n ca'l ambell i beint dag e, odw. Fel odw i gyda lot o hacs
erill.

ELLIE   Mwy na ambell beint. A o'dd e'n trio ca'l gwybodeth wrth
Trystan am Alun Connor.

KELVIN   'Na beth wedodd Trystan 'tho chi? Ha!

ELLIE   Pam arall bod e' ar drywydd Trystan 'te?

KELVIN   Gwithwch y peth ma's. Ma' rhaid bod bwyd yn y cafan cyn i'r
mochyn roi 'i drwyn yndo fe. Dyw Bob ddim yn un i wasto'i
amser.

GWYN   Mi fydde fe a'i fêts yn shinco'n isel iawn trw fynd ar ôl bywyd
preifet Trystan.

KELVIN   Walle taw melltith mwya'r crwt yw bod e'n fab i ti.

GWYN   Dyw Tryst ddim yn wleidydd, ddim yn ffigwr cyhoeddus. Mae
e'n mynd trw' amser anodd ar y funud... er nad odw i'n gwbod
lot mwy na 'ny.

KELVIN   Walle dylech chi siarad mwy. Chithe'n dad a mab. Mor
deyrngar i'ch gilydd.

GWYN   Beth yw'r gêm Kel? Ti dy hunan yn danbaid dros ynni gwyrdd
a'r amgylchfyd. Dros 'ny ma' Tryst yn gwitho.

KELVIN	Dal sownd nawr. Ti sy'n cymryd yn ganiatol bod Bob Carr yn casglu gwybodeth am Trystan. Wedes i ddim byd.
GWYN	Wyt ti'n awgrymu galle'r wasg fod ar 'y nrhywydd i trw' holi Trystan? Niweidio ngyrfa i 'se'n i'n trio arwen pleidlais yn erbyn Llafur tro nesa?
KELVIN	Ma' dewis heleth o dargets 'da Bob Carr weden i. Mwy na digon…
	Ennyd
GWYN	Er enghraifft? Beth?
KELVIN	OK. Beth am… O't ti a fi'n siarad jyst nawr am ddyddie coleg.
ELLIE	Nôl at 'na 'to? Cariadon a camfyhafio… pwy ffycin ots s'da neb am 'ny?
GWYN	Wy wedi penderfynu eishws bo' fi'n mynd i arddel popeth…
KELVIN	*(Ffug syndod)* Popeth?
GWYN	Ma' digon o rester siopa 'da unrhyw un sy' moyn ffindio sgandal. Nid dim ond ti sy'n cofio fi'n smoco dôp, yn meddwi… Pam ddylen i wadu dim. Fydden i'n ffŵl i drio neud. A sai'n becso rhagor.
KELVIN	Geirie dewr iawn Gwyn. Er ma' rhai pethe'n fwy anghyfforddus na'i gilydd…
	Mae Gwyn ac Ellie yn edrych arno, yn ansicr.
KELVIN	Gweud fel ffrind odw i –

ELLIE	Wel wrth gwrs.
KELVIN	Ddim am y dôp na'r meddwi o'n i'n feddwl.
GWYN	*(Yn fwy difrifol)* Beth?
KELVIN	Pan o'dd hwn a fi ma's ar sesh rownd y dre... a o'dd 'ny'n digwydd ddwywaith dair yr wthnos... Pan fydde arian 'da ni. O'dd pob nosweth yn epic, a'r tafarne'n llawn dop o fyfyrwyr ar sesh. Yn do'n nhw Gwyn...
GWYN	O'n.
KELVIN	Wrth gwrs pan ti'n edrych nôl nawr, o'dd y ffor o'n ni'n byhafio yn blentynedd y ffwc. Neud niwsans o'n hunen mewn tafarne. Tynnu sylw at y'n hunen. Diolch i dduw bo' dim mobiles i dynnu llunie…
GWYN	Yntefe.
KELVIN	A'r caneuon. Iesu bach... y ffycin caneuon. Sefyll ar ben stole ne' ar ben fordydd…
	Mae Kelvin yn dechre canu'n dawel, fel petae'n treio cofio'r geirie…
KELVIN	We'll burn your houses down We'll burn your houses down We'll burn your house, We'll burn your houses down. *(Wrth Ellie)* Tiwn neis, lyrics bach yn wan...
GWYN	Beth yw pwynt hyn Kel? O'n ni gyd yn dipyn o idiots yn y coleg. Ti hefyd. O't ti'n bart o'r cwbwl.

KELVIN	Y meddwi, o'n. Ond ti'n gwbod beth? O'n i ddim yn ymuno yn y canu a'r chanto. Nid y byddet ti wedi sylwi. O'dd cenedlaetholdeb fel'na ddim yn bart o mholitics i. Y Faner Goch... Yr Internationale... Avanti Popolo. Ie. Ond byth y stwff F.W.A. a I.R. A. 'na. O'n i'n teimlo ma's o step pan o'ch chi gyd yn bloeddio canu 'ny.
GWYN	Wel 'na gwd boi o't ti 'te. A o'n i yn. Canu stwff o blaid yr IRA a llosgi tai haf. Fel wedes i, wy ddim yn gwadu 'ny.
ELLIE	'Drycha gymint o wleidyddion sy' wedi neud pethe yn 'u dyddie coleg. A iwso ieuenctid fel esgus. O'dd Cameron ddim yn gwadu bod e' wedi trio cocein... a rhoi i goc yng ngheg mochyn... Portillo a'i dalliances bach... hyd no'd Gove ar lein biced gyda'i undeb.
GWYN	*The past is a foreign country.*
KELVIN	Ti'n iawn wrth gwrs. A cân dafarn yw cân dafarn. Lot o ddwli gan amla'. Yn enwedig rhai ohonyn nhw.
	Mae Kelvin nawr yn rhoi ei fraich o amgylch 'sgwyddau Gwyn, ac yn ei ddal yn dynn fel un meddwyn yn helpu cynnal un arall. Edrycha ar Ellie a dechrau canu, yn dawel eto:
KELVIN	Rwyf yn homo, rwyf yn homo Rwyf yn homo'n gwisgo pais Ond mae'n well gen i fod yn homo Nac yn ffycin bastard Sais.
GWYN	Ffyc off Kel. Be' sy'n bod arnot ti.
KELVIN	Sawl bocs non-PC fydde honna'n tico dyddie hyn?
GWYN	Allet ti fod wedi gweud hyn i gyd flynyddo'dd nôl. Pam nawr?

KELVIN	Achos nawr, ti'n mynd i drio perchnogi'r dyfodol. *Caveat emptor* gwboi.
GWYN	Beth bynnag ddigwyddodd nôl yn dyddie coleg... wy'n arddel popeth. Fi yw fi. A o's ti'n iwso rwbeth fel'na i mygwth i ti'n fwy o sarff na nes i byth feddwl.
KELVIN	Allen i roi digon i Bob Carr i dy ddinistrio di, heb iddo fe orffod twrio. Ond sai'n mynd i. Wy'n dala i feddwl amdanot ti fel ffrind.
ELLIE	Fel wedodd Gwyn. Ffyc off.
KELVIN	Ond watsha dy hunan. Achos unwaith ma'r gwaedgwn yn pigo trywydd lan...
ELLIE	Cer ma's y ffycin bastard... Cer ma's. Ma' fan hyn yn gatre i fi hefyd. A sa i moyn ti 'ma.
KELVIN	Cwpwl o bethe i ti ystyried. Jotes i rai cynigion lawr. Polisïe. Amserlen. Swyddi cabinet. I ti ga'l bod yn glir beth allen i gynnig. Lot o shwgir ar y bilsen.
	Mae Kelvin yn rhoi cwpwl o amlenni a phapurau ar y bwrdd bach.
ELLIE	Ma'n well i ti fynd. Ne' geith pawb glwed siwd ti wedi trio breibo Gwyn.
GWYN	*(Yn bras-ddarllen cynnwys un darn papur.)* Mwy o gymorth ariannol i ddiogelu ffermydd bach... Premiwm addysg newydd... i ardaloedd difreintiedig...
	Mae Gwyn yn rowlio'r papur yn belen...
GWYN	Alle clymblaid o'r gwrthbleidie ddelifro hyn hefyd. Ti ddim yn

gallu prynu fi Kel.

KELVIN   Ond allech chi byth gydwitho. Ti'n byw mewn pradwys ffŵl.

GWYN   Allen ni ddelifro'r maths. 'Se pawb arall yn dod at 'i gilydd yn erbyn Llafur.

KELVIN   Ie, ond fydde 'na'n cynnwys ffycin UKIP.

GWYN   Yn cynnwys ffycin UKIP, ie.

KELVIN   Ti off dy ffycin ben. Dwtshe dy aelode di ddim â nhw, a fydden nhw ddim ishe dim i neud â rhywun fel ti chwaith.

GWYN   Yr alwad ffôn 'na nes i funud nôl. Nid Efion Price nage. (*Ennyd.*) UKIP.

KELVIN   Pwy?

GWYN   Aelod Cynulliad. All addo cefnogeth y lleill.

ELLIE   Ffrind newydd i fi. A ma' ffrindie newydd wastod yn awyddus i bleso.

KELVIN   Chi'n ffycin jocan.

GWYN   Rhyw siort o gytundeb enfys. Ar rai mesure allwn ni gyd gytuno arnyn nhw.

KELVIN   Y cachwr a ti Gwyn.

GWYN   Fydden ni ddim yn gwerthu ma's o gwbwl. Ca'l un set o fesure canolog trwyddo. Yn rhoi bwndel o bwere newydd i gymunede lleol. 'Na un peth alle UKIP brynu miwn iddo... a fydden ni ddim yn cynnig unrhyw gonsesiynne iddyn nhw. Alli di weld yr apêl iddyn nhw. Precedent i beth allan nhw neud mewn rhanne erill o Bryden.

ELLIE

Da iawn ti Gwyn. Ma' lot i drafod 'da Llafur fory Kelvin, i drio neud sens o beth alle ddigwydd nesa. A bydd bore rhydd gyda ti ar ôl i ti gael dy ethol yn Arweinydd… a falle bydd blynyddoedd rhydd yn dy aros di… (*Ennyd*) Nawr cer.

Kelvin yn nodio, a symud at y drws.

GWYN

Kel…

KELVIN

Ie?

GWYN

Wy'n siomedig yndot ti.

KELVIN

Reit.

GWYN

Jest ishe ti ga'l gwbod.

KELVIN

Pam ti'n meddwl fi'n neud hyn? Er mwyn yn hunan? Os ti'n meddwl 'ny wy wedi'n siomi yndot ti hefyd. Dyfes i lan ar aelwyd ble o'dd dim lot o ddim. Mewn ardal o'dd â dim byd. A nawr ma' cyfle 'da fi neud bywyd yn well iddyn nhw. Bishyn wrth bishyn, gam wrth gam, wy a mhlaid yn neud 'ny. Heb whare rwlet gyda'u dyfodol nhw fel ti moyn neud. Sda fi na'r Cynulliad ddim hawl i neud 'ny.

Ger y drws mae'n troi at Ellie.

KELVIN

Walle taw gorwelion bach sda fi Ellie, ond ma' nhw 'na. A ma' 'da fi ddyletswydd i mhobl. A o'n i wedi gobitho ca'l help Gwyn, ond…

ELLIE Ma' rhaid i rywrai drio ffordd arall. Ma' urddas y gweithle, a urddas perthyn i gymdogeth yn diflannu. Ma' hunan-werth pobol yn lleihau, a rhagfarne ar gynnydd. Achos bo' gwleidyddion wedi colli'r gallu i ddychmygu.

GWYN Wy moyn yr un peth mowr all helpu adfer ystyr eto. Nid llwybyr at rwbeth newydd, ond nôl at rwle o'dd yn fwy gwâr. Beth alli di gynnig, mewn un cam mowr, sy'n bwysicach na 'ny?

KELVIN Dim.

ELLIE Wel 'na fe 'te.

KELVIN Ond dyw un cam mowr ddim yn bosib. Ddim ffordd ti'n mynd i drio neud e'. Rhoi'r seilam yn nwylo'r lwnatics, jest er mwyn ti ga'l agor un drws, i weld os yw be' ti'n gofio yn dala ma's 'na?

GWYN Trysta fi Kelvin. Ma' rhaid i rywun agor y drws 'na. Ma'r amser wedi dod. Ma'r allweddi yn 'y nwylo i nawr. A beth sy'n mynd i stopo fi?

KELVIN Beth wedodd Macmillan gwed? *Events, dear boy. Events.*

Aiff Kelvin allan.

ELLIE O'n i byth yn dychmygu 'nelet ti...

GWYN Towlu fe ma's?

ELLIE Gwahodd UKIP i drafod.

GWYN O't ti'n gweud y gwir.

ELLIE	A all UKIP ddim gorfodi amode annerbyniol arnon chi... Sdim ffinie 'da Cymru i gau. Ma' cwestiwn Ewrop ma's o'n dwylo ni nawr...
ELLIE	Gyda'n chwyldro ni – a fydd e' yn chwyldro – fydd pob ardal yn ca'l yr hawlie i ffafrio y bobol sy wedi magu 'na. Y gymdeithas leol. O ba bynnag liw ne' gefndir. Fydd 'na'n siwto UKIP... Dim clymblaid chi'n greu, ond un daeargryn fowr... Wedyn, pan ddaw'r amser, allwch chi anghofio am y bartnerieth...
GWYN	Ti'n reit. Localism ar waith. Bod yn bart o'r maths...
ELLIE	Geith rhester Kelvin aros yn y bin 'te.

Buzz. Ellie yn ateb yr intercom

LLAIS TRYSTAN	Dad... dad...

Ellie a Gwyn yn edrych ar ei gilydd...

ELLIE	Cer i bennu gwitho'r datganiad 'na. Gad <u>fe</u> i fi.

Aiff Gwyn allan. Ellie yn troi at yr intercom.

ELLIE	Dere lan.

Mae'n tynnu ffon USB o amlen a adawyd gan Kelvin, ac yn ei rhoi yn ei laptop. Ennyd. Llais merch.

LLAIS KELLY-ANNE	Yeah?
LLAIS DYN	Your name?
LLAIS KELLY-ANNE	My name is Kelly-Anne.

LLAIS DYN	And how old are you Kelly Anne?
LLAIS KELLY-ANNE	Fifteen.

Saib

LLAIS KELLY-ANNE	It was... about six months back. He touched me proper, the first time.

Saib

LLAIS KELLY-ANNE	Except I've known him... like over a year. He'd come round. He'd taken us round the building. The Assembly. Mam and dad had got, sort of involved with him... He came round. And then more often. And I think, maybe, he then came round more, 'cos of me?
LLAIS DYN	And? The last month?
LLAIS KELLY-ANNE	Well – we had sex.

Daw Trystan i mewn. Ellie'n diffodd y recordiad yn sydyn

... Yeah. In the bed. Proper. Full on. You know.

TRYSTAN	Hei... Fi 'to.
ELLIE	Trystan, ma' dy dad... Angen amser i baratoi. A gweud y gwir, nid 'ma'r amser gore i –
TRYSTAN	Ti'n gwbod beth Ellie? Wy'n cofio dad a'i fêts yn craco jôc. Dyle bob yn ail fachgen o'r cymo'dd ga'l 'i enwi yn Grant... achos 'na beth o'dd yn mynd i gynnal nhw weddill 'u bywyde. Wel nath e job da o enwi fi yn Tryst yn do 'fe. Achos wy yn. Ffycin pathetic.

ELLIE	Sai'n gwbod beth i weud. Na neud a bod yn onest. Driwn ni helpu sorto ti ma's. Fi a dy dad. Ond y funed 'ma... Ma' rhaid iddo fe a fi...
TRYSTAN	Ti ishe fi fynd.
ELLIE	O's rwle gallet ti... wy angen mynd dros un ne' ddou o bethe, 'da Gwyn...
TRYSTAN	Y *speech*?
ELLIE	Ie. Ma hyn <u>mor</u> bwysig Tryst. Rili. Mae e'n - *(Saib)* 'Se ti jest yn mynd am wa'c... Cliro dy ben. Am awr ne' ddwy. Wedyn dere nôl fan hyn. A wedyn –
TRYSTAN	Ma' rhaid fi ofyn un peth though.
ELLIE	Y?
TRYSTAN	Odi hyn rwbeth i neud â fe'n galw?
	Ellie yn edrych arno, heb ddeall.
TRYSTAN	Kelvin George. Beth o'dd e' moyn 'ma?
ELLIE	Ym...
TRYSTAN	Achos, a gweud y gwir... Es i ddim yn bell. Ffones i Claire. O'dd hi nôl yn y fflat. Wedi baricedo miwn medde hi. A 'se'n i'n trio mynd miwn bydde hi'n, wel... galw'r cops. So... Es i ddim pellach na'r cornel stryd... A weles i Kelvin yn dod o 'ma.
	Saib. Dyw'r naill ddim yn siŵr beth i ddweud nesa wrth y llall.
TRYSTAN	Ma' hyn i gyd obutu fi. Yn dyw e'.

ELLIE	Iesu. Nadi. Cred ti fi Tryst, dyw e' ddim.
TRYSTAN	Eh? Beth wedodd Kelvin wrthoch chi?
ELLIE	Wy angen siarad â dy dad. Fel wedes i, ma' rwbeth... a wy moyn llonydd i neud hyn.
TRYSTAN	A tra bo' chi'n trafod beth i neud nesa, chi moyn hala fi ma's. Ar y *naughty step* ife?
ELLIE	Nei di adel ni am gwpwl o orie? A paid holi rhagor. Jyst cer. Plîs.
TRYSTAN	Ond ma' hyn dipyn mwy ffycin seriys na *naughty step* Ellie. Wy rili yn y cachu.
ELLIE	Ti a dy brobleme. Sda ti neb i feio ond dy hunan. Maddeua i fi os o's pethe pwysicach –
TRYSTAN	Ma' pethe felna'n digwydd. 'Se Bob Carr ddim wedi mynd ar ôl stori, whilo headlines mochedd i'r ffycin papur mochedd 'na. A wy'n gwbod bod Kelvin rwbeth i neud â hyn hefyd.

Am y tro cynta' mae Ellie yn dechrau sylweddoli fod Trystan a hi ar ddau berwyl hollol wahanol.

ELLIE	Am beth ti'n sôn Trystan?
TRYSTAN	Achos weles i Bob Carr yn mynd i gwrdd â Kelvin, streit ar ôl iddo fe fygwth ecsposo fi. 'Na pryd sylweddoles i, prynhawn ddo', bod rwbeth mwy tu ôl i hyn. Dinistrio fi'n gyhoeddus, dial ar dad. Arweinydd y Blaid, a'i fab e'n fochyn, yn *sicko*...

ELLIE	Cyffurie? Y coke… a - ?
TRYSTAN	Coke? Ffycin *I wish* Ellie! Ma' Kelvin wedi gweud wrthoch chi?
ELLIE	Do, ma' Kelvin wedi –
TRYSTAN	A pwy stori gesoch chi? Bo' fi'n *abuser* mochedd sy' wedi fforso'n hunan arni hi ife?
ELLIE	Beth yw 'i enw hi? Ife…
TRYSTAN	O, nath e' ddim hyd no'd rhoi enw iddi…
ELLIE	Gwed 'tho i. Beth yw 'i enw hi?
TRYSTAN	Kelly-Anne. Ddim bo' 'na'n neud gwahanieth. I chi na nhw. Ond ma' 'da hi enw. A bywyd. A dyfodol i fod. Nes i hyn ddigwydd. A ti'n gwbod beth Ellie?
	Ennyd.
TRYSTAN	Fydde well 'da fi fod yn farw… na bod niwed yn dod iddi hi. Ti'n gwbod beth? Ellie?
	Ennyd.
TRYSTAN	Fi'n meddwl… reit… fi'n meddwl, bo' fi'n caru hi. (*Ennyd*) Yeah, *sad* yntefe… *sick*. Ie. Ond fi yn Ellie. Fi'n caru ddi.
	Ennyd.
TRYSTAN	A hi fi. (*Ennyd*) O ie. Hi hefyd.
ELLIE	Ad'odd Kelvin y *memory stick* 'ma. O'r ferch. Yn siarad.

TRYSTAN	Bob Carr na'th hwnna. Y ffycin bastard. Gweud wrthi hi bo' rhaid 'ddi weud popeth. Ar 'i *i-phone* e'. Wedyn fydde fe ddim yn mynd at y polis. Na iwso'r stori. Addawodd e'. O'dd hi'n *petrified*. Ddim yn gwbod beth i weud. So siaradodd hi. A nawr 'ma hwnna gyda nhw.
ELLIE	Y busnes obutu 'i rhieni hi? Y cynulliad... ti o'dd yn ffrindie 'da nhw?
TRYSTAN	Ffrindie? Hy. Ma'i mam hi'n OK. Fenyw... OK. Ma'i thad hi'n ffycin foi od. Ond helpon nhw lot 'da'r brotest dros cadw'r *Reservoir* lan yn Coety. Wedyn ddath y fam i ddachre helpu 'da Cymru Werdd. Ar y stondine, helpu 'da *mailshots*. Ishe rwbeth i neud. Mynd a hi ma's o ffordd 'i gŵr hefyd. Ma' problem 'dag e. A ma' hi a Kelly-Anne wedi gorffod byw 'da 'na ers blynyddo'dd...
ELLIE	Dyw dy dad ddim yn gwbod dim am hyn... Ddim yn nabod nhw?
TRYSTAN	Gwbod nawr. Diolch i ffycin Kelvin.
ELLIE	Ond ddim fel arall? Ddim yn nabod nhw na'r ferch?
TRYSTAN	Pam ddyle fe? Fydde neb wedi gwbod, heblaw i'w thad hi fynd trwy'i ffôn hi a ffindio'i tects hi. Y *bastard controlling*. Terroriso hi a gorfodi hi gyfadde. Dod i whilo fi yn swyddfa Cymru Werdd... A ti'n gwbod pwy sy'n gwitho 'na...
ELLIE	Whâr Kelvin.
TRYSTAN	Hwnnw'n rhoi Bob Carr ar y stori. *Colateral* yn y banc. I beth Ellie? Ma' Bob Carr wedi gadel i Claire wbod yn barod... Wy'n ffycd... (*Ennyd*) Ma' merch *fifteen* yn fenyw ifanc. Ma' hi wedi tyfu lan Ellie. Yn gwbod beth ma' hi ishe. Ond s'dim *defences*

'da hi yn erbyn *shit* fel hyn.

Aiff Ellie at y drws mewnol.

ELLIE (*Yn galw*) Gwyn. Der 'ma. Plîs.

Mae hi'n troi at Trystan.

ELLIE Ma' rhaid iddo fe ga'l gwbod.

TRYSTAN O ffycin hel Ellie...

ELLIE Well ni glywed y cwbwl.

TRYSTAN Ffycin hel.

ELLIE Plîs. Ga'd i ni benderfynu.

Daw Gwyn nôl fewn.

ELLIE Yr ail anrheg ad'odd Kelvin.

Mae Trystan a'i gefn atynt. Ail ddechreua'r tâp chwarae.

LLAIS KELLY-ANNE Yeah?

LLAIS DYN Your name.

LLAIS KELLY-ANNE My name is Kelly-Anne.

LLAIS DYN And how old are you Kelly-Anne?

LLAIS KELLY-ANNE Fifteen.

Saib.

LLAIS KELLY-ANNE	It was... about six months back. He touched me proper, the first time.
	Saib.
LLAIS KELLY-ANNE	Except I've known him... over a year. He'd come round. He'd taken us round the building. The Assembly. Mam and dad had got, sort of involved with him... He came round here. And then more often. And I think, maybe, he then came round more, 'cos of me?
LLAIS DYN	And? The last month?
LLAIS KELLY-ANNE	Well – we had sex. Yeah. In the bed. Proper. Full on. You know.
LLAIS DYN	And?
LLAIS KELLY-ANNE	Well, dad found out. He went apeshit. He's dead mental when he gets like that. Scares the shit out of me and mam. *(Saib.)* So that's what happened. Basically.
LLAIS DYN	You say "we had sex"...
LLAIS KELLY-ANNE	This is shit, this is. You making me go over this. You're the perv. Not him. Everything he did was because I wanted it.
LLAIS DYN	Just say exactly what he did.
LLAIS KELLY-ANNE	You getting off on this? Yeah?
	Ennyd.
LLAIS DYN	It's the deal. Now come on love.

LLAIS KELLY-ANNE   What d'you want me to say? He made me feel special? Yeah, well he did. I fancied him something mental. Loved having him close to me. Him too. I could tell. First real chance we had… in his place… his girlfriend was away for a week… we watched some episodes of Game of Thrones… That was the whole evening, doing that, having a laugh. Sitting close. I loved it all.

LLAIS DYN   And?

LLAIS KELLY-ANNE   What d'you think? He got turned on when Daenerys kept showing her tits? I had the hots for Jon Snow? No. We just wanted to do it. I'd done it before you know. But he was different. He was a man. I was in love with him. I still am in love with him.

LLAIS DYN   How many times? Did you have sex?

LLAIS KELLY-ANNE   Enough. Before dad found out. Look, I'm not telling you any more. You can just fuck right off.

Sŵn Kelly-Anne yn cerdded ffwrdd yn swnllyd. Diffoddir y recordiad.

Saib hir. Mae Gwyn mewn sioc. Mae'n edrych ar Ellie, ac ar Trystan.

GWYN   A mae e'i gyd yn wir? Wrth gwrs bod e'.

TRYSTAN   Odi.

Saib.

GWYN   'Na i ddim trio diall pam.

TRYSTAN   Ma' hi'n gweud pam. Gwmpes i mewn cariad 'da hi. Wy'n dihuno lan yn y nos yn meddwl amdani... Ffili stopo'n hunan...

GWYN   O Iesu bach.

ELLIE   (*Wrth Trystan*)
Ddim obutu ti ma' hyn.

GWYN   Ond obutu fi.

TRYSTAN   Beth ma' Kelvin ishe wrthot ti?

ELLIE   Popeth.

GWYN   Y'n einioes i.

ELLIE   Wedest ti allet ti arddel popeth. Bod yn onest...

GWYN   Amdano i, ie...

TRYSTAN   Ond ma' beth wy wedi neud mor ofnadw'... alli di byth arddel hwnnw?

GWYN   Beth ddylen i neud pan ma'r wasg yn gofyn am y'n ymateb i? Gweud bo' fi'n dy ffieiddio di, ishe dy ddi-arddel di? Odw i'n barod i neud 'ny?

TRYSTAN   Torra fi ma's o'r teulu. Fydda i'n diall. A elli di gario mla'n...

ELLIE   Ma' rhywun pwysicach na ti Trystan.

TRYSTAN   O's.

ELLIE   Hi. Wedest ti bod peryg i bywyd hi gwmpo'n bishus...

TRYSTAN	Mae e'n digwydd nawr. Ma' hi ofon bod yn yr un stafell â'i thad.
ELLIE	A fydde gwa'th. Lot gwa'th. 'Se hyn yn y papure ne'r teledu. 'I ysgol hi. 'I ffrindie hi. Golle hi bopeth. Achos bo' ti wedi cwmpo amdani… O'dd Kelvin yn gwbod yn iawn beth o'dd e'n neud yn dod 'ma gynne.

Mae Gwyn yn gafael yn ei ffôn symudol.

ELLIE	Ti'n mynd i siarad 'ag e'?… Apelio at y dyn tu ôl i fasg y gwleidydd?
GWYN	O's siwd beth yn bod?

Mae Gwyn yn mynd trwodd i gefn y fflat.

Mae Ellie yn edrych ar Trystan. Mae Trystan bellach â'i lygaid yn llawn dagrau. Mae'n eistedd yn swrth.

ELLIE	Be' sy'n dy fecso di fwya' Tryst? Y polis… colli Claire?
TRYSTAN	O's ots? Be' sy'n bwysig yw bod popeth wedi newid nawr. I fi, i Claire, i Kelly-Anne, i dad.
ELLIE	Gore po leia o bobol ddeith i wbod.
TRYSTAN	'Na beth o'dd y fargen. Bydde Bob Carr yn cadw'r stori'n dawel, cyn belled â bod tystioleth ar dâp gydag e'. Fydd e a gafel arno i am byth nawr… fydd gafel 'da Kelvin George ar dad.
ELLIE	Kelvin fynnodd bod Bob yn ca'l y stori. Ma' 'na'n gyfystyr â blacmeil… Ma' dy dad yn dala i dy garu di. Newidith 'ny ddim.

TRYSTAN	Wy'n caru fe.
	Trystan yn cyffwrdd â'i braich.
ELLIE	Wy wastod wedi meddwl bo' ti'n casau fi. Byth ers i fi ddod yn bart o fywyd dy dad.
TRYSTAN	Na...
ELLIE	Sdim ishe ti weud celwydd. Cystal i ni fod yn onest 'da'n gilydd o hyn mla'n.
TRYSTAN	O'n i'n casau beth o'dd yn digwydd. Mam yn marw'n slow bach... dad byth 'na. Fi o'dd yn nyrso hi, a fi yn y chweched. Am sefyllfa gachu i lando dy fab yndo. Ddes i i gasau'r ffaith bod priodas mam a dad wedi dod i ben jyst pan o'dd ishe mwya o help arni. A wedyn ffindio bod dad yn hala'i amser 'da ti. Yn dy wely di.
ELLIE	O'dd y ddou o' ni mewn cariad, yn cynllunio dyfodol, cyn i ni wbod bod canser ar Lowri. Beth o'n ni fod i neud? O'dd hi wedi ffindio ma's a o'dd hi ddim moyn Gwyn ar 'i chyfyl. Ti'n gwbod 'ny.
TRYSTAN	A wedyn o'dd dim dewis 'da fi o'dd e. Aros gyda hi. Nyrso hi. O't ti fel cysgod tywyll dros y misho'dd ola 'na.
ELLIE	Fydde pob hawl gyda ti nghasau i. Welen i ddim bai.
TRYSTAN	Wel wy ddim yn, erbyn hyn.
ELLIE	Wy'n fenyw dda ti'n gwbod. I Gwyn. Trio bod.
TRYSTAN	Wy'n gwbod bod ti.

ELLIE	Weda i un peth wrthot ti. A sori os yw hyn yn neud ti'n grac... Ond o'n i rio'd yn lico Claire... o'n i wastad meddwl bod ti rhy dda iddi.

Mae Trystan yn mentro chwerthin ychydig, ac yn sychu dagrau yr un pryd.

ELLIE	A ma' hyn yn beth dansherus i weud hefyd. Ond wy'n diall rhywfaint o beth ddigwyddodd rhyntot ti a'r ferch 'ma, Kelly-Anne.

TRYSTAN	Wyt ti?

ELLIE	Pan o' i'n bymtheg ges i ffling 'da boi o'r pentre. Gwitho i'r fforestri. O'dd e'n un ar hugen. A ffindies i bo' fi'n dishgwl. O'dd e ddim yn rhwydd cadw cyfrinach fel'na yn Ffynnon Las. Ond o'dd doctor hyfryd 'da fi, a helpodd hi drefnu popeth. O'n i mewn cariad hefyd... A ma'r byd 'ma'n gallu bod mor annheg. Stori gariad yw stori gariad yntefe. I fod.

TRYSTAN	Ddim pan bo' hi'n mynd yn glwm 'da politics a'r papure tabloid.

Ennyd.

TRYSTAN	O'dd dad yn gwbod?

ELLIE	Beth?

TRYSTAN	Amdanot ti, a'r boi fforestri.

ELLIE	Mae e'n gwbod. 'Na reswm arall pam o'dd e'n dawedog 'i ymateb nawr. Mae'n rhwbeth sy'n digwydd i ddege o filo'dd o rai erill yng Nghymru.

TRYSTAN	O leia sdim cyfrinache rhyntot ti a dad. Ma' 'na'n beth da.
	Nawr mae Ellie yn chwerthin wrthi ei hun, dan bendroni.
TRYSTAN	Gwed.
ELLIE	Ma' un gyfrinach. Sai'n mynd i gadw'i wrth Gwyn. Ond bo' fi heb weud 'tho fe 'to. Nid heno o'dd y noson. *(Ennyd)* Pan o'dd dy dad ar 'i ffordd nôl o Oslo, o'n i jest wedi ca'l cadarnhad bo' fi'n dishgwl. Fory o'n i'n mynd i weud wrth Gwyn. Wedi iddo fe sorto dyfodol Cymru ma's.
TRYSTAN	Waw… Ellie. Ma' 'na'n… *mega.*
ELLIE	Hanner wha'r ne' hanner brawd i ti… A ti'n gwbod beth o'dd 'y ngobeth mowr i… rhwbeth o'n i'n mynd i helpu wireddu?
	Mae Trystan yn ysgwyd ei ben, yn flinedig feddw.
ELLIE	Bydde gwell lle na hyn i fagu plentyn mewn blynyddo'dd i ddod. Fi a mhlentyn yn gallu bwrw gwreiddie newydd nôl yn Ffynnon Las. Mewn cymdogeth o'dd yn cryfhau a dachre nabod 'i hunan eto. Gyda Gwyn yn rhannu 'i amser rhwng y'n aelwyd ni fynno a'i gatre gwaith lawr fan hyn. 'Na beth o'dd 'y mreuddwyd i t'weld.
	Saib.
ELLIE	'Se ti wedi gofyn i fi awr nôl, fydden i wedi gweud galle'r freuddwyd 'na'n dod yn wir. Ond nawr… *(Ennyd)* Ti ishe mynd i'r stafell sbâr? Yn lle cwmpo i gysgu fyn'na… Trystan? Paid cysgu fyn'na. Ma' gwely i ti 'ma. Dere cariad.
	Cwyd Trystan yn simsan. Mae Ellie yn ei dywys at y drws mewnol.

Daw Gwyn i fewn. Mae mewn cyflwr anwadal, a gofidus, yn cario siwt ar hangar, a chrys glân.

GWYN   Ma' ishe meddwl am be' wy'n wishgo... Ma'r noson 'ma wedi troi'n ffycin hunllef yn sydyn...

ELLIE   Be' ti wedi benderfynu...?

GWYN   Sdim pwynt hyd no'd gofyn 'na. Ma' popeth drafodon ni... wel ar gyfer rh'wbryd arall ma 'nny nawr. Fydde'n i'n meddwl bo' 'na'n amlwg...

Mae Ellie'n edrych arno, ac yn cerdded allan gan ddal i helpu Trystan...

Saif Gwyn sy'n ei drôns a'i sanau yn wynebu'r gynulleidfa...

GWYN   Wy'n gwbod bo' ti'n diall. Pam ma' rhaid fi neud hyn...

Mae'n gafael mewn darn o bapur ac arno nodiadau Ellie. Mae'n edrych ar y papur, a'i wasgu'n belen.

GWYN   Gadwch i fi bwysleisio. Nid amdano i ma' hyn. Na'r Blaid. Ond y'n gwlad ni...

Mae Gwyn yn gafael mewn tei werdd, a'i dal yn erbyn crys gwyn. Ai dyma fydde orau iddo ei wisgo... neu ddim?

GWYN   Ma' dyfodol Cymru yn y'n dwylo ni.

Mae Gwyn yn edrych o'r tu ôl iddo, gan ddisgwyl i rywun arall ymuno ag ef.

GWYN   Ti'n meddwl bo 'na'n rhy... Saundersaidd? *(Ennyd)* Rhy Saunders Lewis... Ellie?

Dim ateb.

GWYN   Ddim y tei. Y geirie. Fydde neb yn gwbod os taw teis gwyrdd ne' goch ne' pinc o'dd Saunders yn wishgo. O's unrhyw un byth wedi gweld llun lliw o'r hen gont bach diflas?

Saib. Mae Gwyn yn rhoi ei drowsus mlaen, ac yna'i siaced orau.

GWYN   Ellie... *(Dim ateb)* Dere i helpu fi nawr. Alla i ddim neud hyn ar 'y mhen y'n hunan. Plîs! *(Mae ei ffôn symudol yn canu)* Ie... Ble? Top Pier Street? Fydda i 'na nawr. *(Mae'n troi nôl a galw'n frysiog).* Ellie, paid neud dim nes bo' fi nôl. Wedyn gewn ni siarad, a trio sorto popeth ma's...

Aiff Gwyn allan ar hast.

Saib.

Daw Ellie i sefyll yn y drws mewnol tu ôl iddo. Mae hi'n cario cês teithio... Mae hi'n sefyll yno, yn silwét am ennyd...

"Llwytha'r Gwn" Y Candelas yn chwarae eto. Wedyn dros hyn, lleisiau Kelvin a Gwyn...

LLAIS KELVIN   Fe fyddwn ni'n cynnal cynhadledd i'r wasg cyn diwedd y bore. Y newyddion da yw y gallwn ni ddisgwyl i fesur cyllideb newydd ga'l 'i baso, gyda help aelodau Plaid Cymru yn y Cynulliad. A fe fydd trafodaethe... trafodaethe ystyrlon a pell-gyrhaeddol am bolisïe y gall y ddwy blaid uno i'w gweithredu gyda'n gilydd.

LLAIS GWYN   Mae'n rhy gynnar i ddweud os bydd hyn yn arwen at glymblaid ffurfiol. Ma' rhaid trafod hyn gyda aelode'r ddwy blaid a gweld beth sy'n ymarferol. Ond ma' 'na weledigeth y gall y ddwy blaid 'i rhannu. A ma'r ddwy blaid wedi cydweithio'n llwyddiannus yn y gorffennol wrth gwrs. Fe alle hynny ddigwydd eto. *(Ennyd)* A beth bynnag fyddwn ni'n 'i benderfynu, fe allwn ni'ch sicrhau chi bydd hynny er lles Cymru, ac er lles gweinyddieth sefydlog yn y Cynulliad.

Cerdda Ellie ar draws y llwyfan gyda'i chês, a mynd am y drws allan. Mae'n ei agor. Golau gwyrdd-felyn tyner yn llenwi'r llwyfan tu hwnt i'r drws. A synau gwanwyn yn Ffynnon Las. Aiff Ellie allan i'r môr o olau...

Caea'r drws yn glep. Tywyllwch.

DIWEDD